Anyck

*du Centre
des sciences
de l'Ontario*

EXPÉRIENCES SCIENTIFIQUES

*Illustrations
Tina Holdcroft*

*Traduit
de l'anglais par
Francine de Lorimier*

Données de catalogage avant publication (Canada)

Vedette principale au titre

Expériences scientifiques du Centre des sciences de
l'Ontario

Traduction de: Scienceworks.
Pour les jeunes de 7 à 12 ans.

2-7625-4649-4

1. Sciences - Expériences - Ouvrages pour la jeunesse.
2. Jeux et récréations scientifiques - Ouvrages pour la
jeunesse. I. Centre des sciences de l'Ontario.

Q164S.S3714 1987   502'.8j   C87-096046-6

La traduction de cet ouvrage a été réalisée
grâce à une subvention du Conseil des
Arts du Canada.

Dépôts légaux : 1er trimestre 1987
Bibliothèque nationale du Québec
Bibliothèque nationale du Canada

ISBN : 2-7625-4649-4   Imprimé au Canada

LES ÉDITIONS HÉRITAGE INC.
300, Arran, Saint-Lambert, Québec J4R 1K5
(514) 672-6710

TABLE DES MATIÈRES

Pour économiser l'énergie

Tous les sens en alerte !

Des idées géniales

SCIENCE OU MAGIE ?

Tu auras beau avoir la bosse des sciences, tu n'arriveras pas à sortir un orignal — ni même un lapin — d'un chapeau. Qu'importe, puisque les quatorze expériences qui suivent ne manqueront pas d'ébahir tes amis.

UNE ÉPREUVE DE FORCE

Peux-tu soutenir 45 kg (100 livres) d'une seule main ? C'est facile : Tends la main, la paume tournée vers le haut. Voilà, tu as réussi ! Il s'agit, bien sûr, du poids de l'air. Et voici un autre tour de force que tu peux jouer à tes amis.

Il te faut :
une feuille de papier journal
une règle solide

1. Pose la règle sur une table en laissant dépasser un bout du bord. Tel qu'illustré, recouvre la partie de la règle qui est sur la table d'un papier journal.
2. Dis à tes copains que tu vas jeter un sort au papier, de sorte qu'il sera impossible de le soulever. Comme un magicien, promène ta main au-dessus du papier, puis donne un coup de poing énergique sur le bout suspendu de la règle.
3. Maintenant, demande à un témoin de frapper l'extrémité de la règle à son tour. Le papier ne bougera toujours pas. En fait, si l'un ou l'autre frappait la règle avec trop de force, elle pourrait même se casser sans que le papier se déchire...

Tout s'explique
Le poids de l'air sur le papier journal résiste au brusque coup de force que tu lui imposes et maintient la règle sur la table. La pression de l'air est d'environ 103 kilopascals (15 livres par pouce carré). Qui aurait cru que l'air était si pesant ?

LA LOI DE L'INERTIE

As-tu déjà vu un prestidigitateur tirer vivement sur la nappe d'une table dressée, sans faire chanceler un verre ? Non, ce n'est pas sorcier. Il suffit de savoir mettre à profit ses connaissances scientifiques. Il n'est pas conseillé, cependant, d'utiliser la belle vaisselle de ta mère pour cette expérience. Voici une version plus prudente — et économique — du truc de la nappe, qui laissera ta famille bouche bée.

Il te faut :
un verre pesant
un ruban de papier journal assez long pour qu'il dépasse le bord du verre et pende sur le côté
2 pièces d'un cent
une règle

1. Tel qu'illustré, pose un bout de la bande de papier au-dessus du bord du verre.
2. Place les deux pièces de monnaie en équilibre sur le ruban de papier et le bord du verre, en t'assurant qu'elles sont supportées par le bord du verre et non par le papier.
3. Soulève lentement le bout libre de la bande jusqu'en position horizontale, en prenant garde de ne pas faire bouger les pièces.
4. D'un coup sec, frappe le papier avec une règle, à environ 4 cm (1 1/2 pouce) du bord du verre. Tout est dans la vivacité de ton geste. Il faudra peut-être que tu pratiques à quelques reprises mais, avec le temps, tu réussiras à faire glisser la bande de papier sous les pièces de monnaie en laissant celles-ci en équilibre sur le bord du verre.

Tout s'explique

L'inertie, c'est la résistance que tout objet oppose à un changement dans son mouvement. Quand un objet est immobile, il faut plus ou moins de force pour le mettre en branle. Et une fois qu'il bouge, il faut encore une certaine force pour l'immobiliser.

Plus l'objet est lourd, plus il faut de force — ou de temps — pour changer son mouvement. Voilà la clé scientifique de cette expérience : on peut faire bouger un léger ruban de papier, d'une part, sans que cela n'affecte le mouvement des pièces de monnaie plus lourdes.

LE GLAÇON MORD À LA LIGNE

Peux-tu soulever un cube de glace flottant dans un verre d'eau au moyen d'un simple bout de ficelle ? Impossible ? C'est pourtant tout simple : il suffit de s'initier à quelques principes de chimie.

Il te faut :
une ficelle d'environ 15 cm (6 pouces) de long
du sel
un verre d'eau froide
un glaçon

1. Pose un bout de la ficelle sur la surface du glaçon que tu saupoudres d'un peu de sel.
2. Compte lentement jusqu'à dix, puis soulève délicatement la ficelle. Ça y est : le glaçon a mordu à la ligne.

Tout s'explique

Normalement, l'eau gèle à 0°C (32°F). Mais si on y ajoute du sel, celui-ci abaisse le point de congélation de sorte qu'il faut une température plus basse que 0°C pour qu'elle gèle. Plus l'eau sera salée, plus la température de l'eau devra être basse pour geler. Le sel que tu as saupoudré sur le glaçon a fait baisser son point de congélation. Or, puisque le cube de glace ne peut refroidir davantage, il commence à fondre. Un petit trou d'eau se forme sur sa surface, ce qui permet à la ficelle de s'enfoncer un peu dans le cube. A mesure que fond le glaçon cependant, l'eau saline commence à se diluer dans la petite flaque, et le point de congélation revient à la normale. Le glaçon va donc regeler en emprisonnant la ficelle. Dès que sa surface a durci, tu peux soulever le glaçon en tirant la ficelle. Bien entendu, cette réaction se produit très rapidement.

Propos glacé

Tu sais sans doute que l'on étend du sel, l'hiver, pour faire fondre la glace des trottoirs et des routes. Mais as-tu remarqué que ce procédé devient inutile par temps très très froid ? En effet, durant les grands froids, l'eau ne dégèle pas sous l'action du sel. Même si le sel réussit à faire baisser le point de congélation de l'eau, l'air ambiant est tellement frigide qu'il empêche la glace de fondre.

EN TIRANT LES FICELLES

oici un autre phénomène d'inertie qui va mystifier tes amis.

Il te faut :
un livre moyen à reliure cartonnée
2 sortes de ficelle, l'une plus résistante que l'autre, quoique les deux doivent rompre quand on tire dessus par saccades. La ficelle plus faible sera assez longue pour être nouée trois fois autour du livre.

1. Attache solidement la ficelle robuste autour du milieu du livre.
2. Coupe la ficelle plus fragile en trois sections, chacune assez longue pour être nouée autour du livre.
3. Attache une section de la ficelle faible à la ficelle robuste sur le dessus du livre, et une autre section en dessous, comme sur l'illustration.
4. Tiens le livre par la ficelle du haut, en tirant fort et de façon continue sur la ficelle du bas. (Un gant protecteur pour la main du haut sera peut-être nécessaire.) Si tu n'arrêtes pas de tirer d'une main ferme, la ficelle du haut ne tardera pas à rompre.
5. Remplace la ficelle rompue par le troisième bout de ficelle faible.
6. Tiens le livre dans les airs comme avant, et donne une brusque saccade sur la ficelle du bas. Cette fois, c'est la ficelle du bas qui cède. Pourquoi ?

Tout s'explique

Quand tu tires lentement et de façon continue sur la ficelle du bas, tu entraînes peu à peu le livre vers le bas, ce qui étire la ficelle du haut. Puisque c'est elle qui porte à la fois le poids du livre et la force de ta traction, elle finit par rompre.

En revanche, si tu tires d'un mouvement brusque et sec, il se produit un tout autre phénomène. C'est l'inertie du livre qui fait toute la différence. L'inertie est la tendance des objets à demeurer au repos jusqu'à ce qu'une force extérieure leur imprime son mouvement. La ficelle du bas va rompre avant que la force de ta traction ne puisse influencer l'inertie du livre. Puisque le livre ne bouge pas, la ficelle du haut n'est pas soumise à une traction supplémentaire et elle continue à tenir bon.

À COUPER LE SOUFFLE

Tes amis vont se dégonfler à vue d'oeil quand tu les soumettras à l'épreuve du ballon comprimé. On dirait un jeu d'enfant — mais il y a une astuce.

Il te faut :
un ballon
une bouteille de boisson gazeuse

1. Installe le ballon dégonflé à l'intérieur de la bouteille en fixant l'ouverture élastique sur le goulot.
2. Défie ton copain de gonfler ce ballon. Il aura beau souffler et s'époumoner, il n'y arrivera pas.

Tout s'explique

À mesure qu'il gonfle dans la bouteille, le ballon prend de plus en plus d'espace. Or la bouteille est déjà pleine — d'air. Et même si ça ne se voit pas, l'air occupe de l'espace. Donc, si on essaie de faire gonfler le ballon, l'air déjà emprisonné à l'intérieur de la bouteille empêche la chose de se produire.

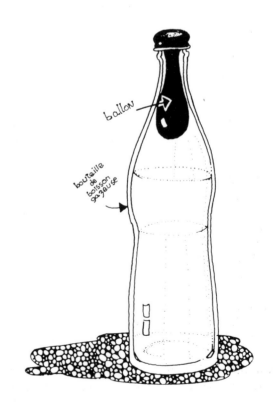

ballon

bouteille de boisson gazeuse

CHALEUR AU CONTACT

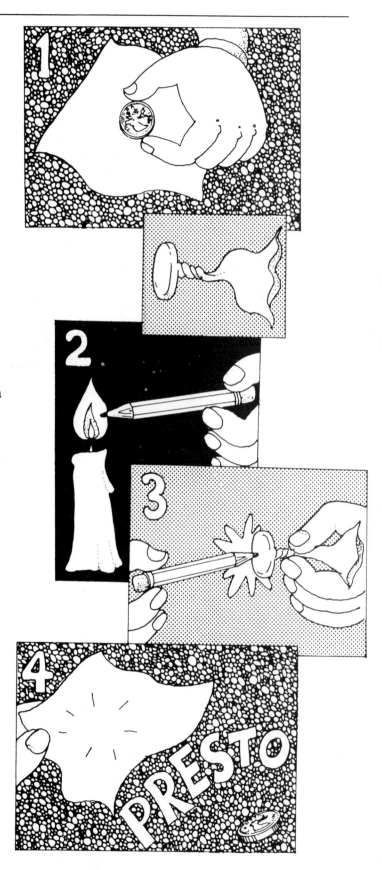

As-tu déjà essayé de faire griller des guimauves au bout d'un cintre métallique déplié plutôt qu'avec un bout de bois ? La tige te brûlait vite les doigts, n'est-ce pas ? Voici comment transformer cette expérience en prouesse. Tu vas pouvoir mettre un bout de bois brûlant en contact avec un morceau de tissu sans le faire roussir !

Il te faut :
une pièce de 25 cents
un vieux mouchoir de coton ou
   tout autre morceau de coton
un crayon à mine dont tu ne veux plus
une chandelle dans un bougeoir

1. Place la monnaie au milieu du morceau de coton et tords le tissu de façon à y mouler parfaitement la pièce, tel qu'illustré. Si le tissu n'est pas suffisamment tendu sur la pièce de monnaie, il roussira.
2. Allume la chandelle. Tiens la mine du crayon dans la flamme jusqu'à ce que le bois devienne incandescent.
3. Presse fermement le bout du crayon chauffé contre le tissu qui recouvre la monnaie et compte jusqu'à dix.
4. Retire le crayon, déploie le mouchoir en secouant les résidus de cendre. Surprise : le tissu n'a pas été brûlé !

Tout s'explique

La chaleur peut se communiquer à travers des matériaux divers, de différentes façons. Le bois, par exemple, est un mauvais conducteur de la chaleur : celle-ci se propage lentement le long d'un bâton de bois. Par contre, le métal est un très bon conducteur de la chaleur : il la communique rapidement.

Le métal de la pièce de monnaie, excellent conducteur de chaleur, reçoit la chaleur du bout de bois brûlant si rapidement à travers le tissu que celui-ci n'a pas le temps de roussir. Si le morceau de coton a roussi cependant, c'est que tu ne l'as pas assez tendu autour de la pièce de monnaie, et alors celle-ci n'a pas pu recevoir la chaleur directement du crayon de bois brûlant.

UN JEU D'ÉQUILIBRE

Essaie de tenir une règle en équilibre sur un doigt. Pour y arriver, tu dois faire reposer le centre de la règle sur ton doigt. Or, par le jeu d'équilibre suivant, il est possible de défier les lois de la gravité.

Il te faut :
un bout de ficelle
une règle
un marteau, avec un manche de caoutchouc
  de préférence

1. Noue les deux bouts de la ficelle, puis glisse la règle et le manche du marteau à l'intérieur de cette boucle.
2. Comme l'indique l'illustration, installe le marteau et la règle de manière que le manche s'appuie contre la règle. Tes amis seront sûrement étonnés de voir que la règle puisse tenir en équilibre alors que le bout seulement repose sur la table.

Tout s'explique
Tout objet est doté d'un point imaginaire — appelé centre de gravité — où semble se tendre tout le poids de l'objet. Le centre de gravité d'une règle est normalement au beau milieu de celle-ci. Mais en suspendant un lourd marteau à cette règle, tu déplaces le centre de gravité près de la tête du marteau, de sorte que la règle trouve son point d'équilibre à l'une de ses extrémités.

Le pivot de la bascule
Si tu as déjà joué à la bascule avec un camarade plus lourd que toi, tu sais qu'il y a de bonnes chances que tu restes dans les airs. Le pivot de la bascule se trouve au milieu de la planche sur laquelle vous êtes assis, mais il y a plus de poids à une extrémité de la planche (le partenaire plus lourd) qu'à l'autre (toi). Pour rééquilibrer la bascule, il faut déplacer les poids le long de la planche pour que le centre de gravité repose sur le pivot de la bascule. Le moyen le plus simple d'y arriver consiste à demander au partenaire plus pesant de se rapprocher de toi.

LE SECRET DES FORTS

Serais-tu capable de tenir deux balais ensemble pendant que des amis robustes s'appliquent justement à les séparer ?

Il te faut :
2 balais
une corde résistante, ou un bout de corde à linge, d'au moins 3 m (9 pieds) de long

1. Demande à deux amis robustes de tenir les balais à une distance d'environ 30 cm (1 pied) l'un de l'autre et défie un camarade fort en muscles de les ramener ensemble. Lorsqu'il s'avouera vaincu, ce sera à ton tour.
2. Attache solidement un bout de la corde autour d'un balai.
3. Tel qu'illustré, enroule la corde autour des deux balais.
4. Tire sur l'extrémité libre de la corde, et ça y est ! Quelle que soit la résistance que vont opposer tes copains à cette traction, tu réussiras sans peine à réunir les balais.

Tout s'explique

En enroulant la corde autour des balais, tu as fait appel à la force technologique. La technologie est l'emploi d'outils, de matériaux, de machines et de techniques pour faciliter le travail. Dans le cas présent, le fait d'avoir enroulé la corde a augmenté ta force de traction. De fait, chaque tour de corde a plus ou moins *doublé* cette traction. Mais attention : chaque fois que la force de traction est doublée, il faut tirer l'extrémité libre de la corde deux fois plus loin.

Cette technique consistant à employer une corde pour augmenter sa force rappelle le mécanisme du palan. Ce système de levage, qu'on peut observer sur les sites de construction, sert à soulever de lourds fardeaux, à charger les navires ou à faire descendre les pianos des édifices. Quand Superman n'est pas disponible, rappelle-toi qu'il y a la technologie !

LE PEIGNE MAGIQUE

Rien qu'à le passer dans tes cheveux, tu peux transformer ton peigne en baguette magique. Tu n'en crois rien ? Tente ces quelques expériences et juges-en par toi-même. Il est préférable que l'air soit sec et que tes cheveux soient propres.

Il te faut :
un peigne de plastique ou de nylon dur
une feuille de papier
une balle de ping-pong

1re expérience du peigne magique

1. Ouvre le robinet d'eau froide de la salle de bains de façon à faire couler un mince filet d'eau.
2. Passe le peigne dans tes cheveux à plusieurs reprises, puis tiens-le tout de suite à proximité du filet d'eau. Subito presto : le filet dévie en direction du peigne.

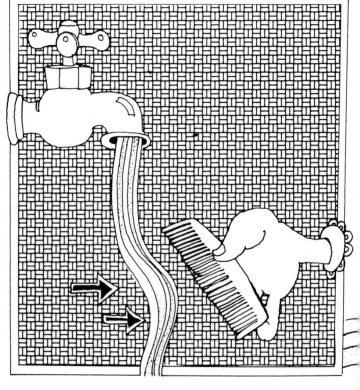

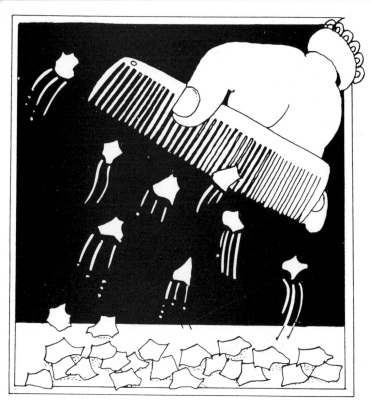

2e expérience
1. Déchire la feuille de papier en petits morceaux.
2. Après avoir peigné tes cheveux plusieurs fois, place le peigne au-dessus des confettis : ils vont aussitôt se soulever pour se coller au peigne.

3e expérience
1. « Électrise » ton peigne en le frottant sur de la laine ou un tissu synthétique. (Essaies-en plusieurs sortes). La fourrure d'un chat propre fait aussi très bien l'affaire.
2. Oblige une balle de ping-pong à te suivre en approchant ton peigne « chargé » de celle-ci et en le déplaçant lentement. La balle va se mettre à rouler derrière le peigne.

Tout s'explique
Ces trucs sont l'effet de l'électricité statique, ce phénomène qui produit un petit choc si tu touches quelqu'un après avoir marché sur un tapis. Lorsque tu passes un peigne dans tes cheveux (ou que tu frottes tes pieds sur un tapis), de minuscules particules appelées électrons se déplacent d'un objet à l'autre, et les chargent ainsi d'électricité.

Les objets « électrisés » peuvent attirer à eux les choses qui possèdent une charge électrique opposée ou neutre. Ils peuvent aussi repousser les choses qui ont la même charge qu'eux. Par exemple, en peignant tes cheveux par temps sec, tu auras peut-être remarqué que le peigne fait dresser certains cheveux sur ta tête : ces cheveux électrisés se repoussent les uns les autres.

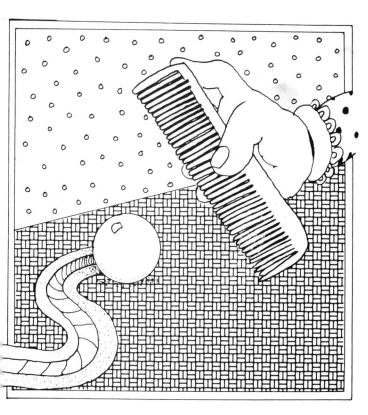

VIDE OU PLEIN D'AIR ?

Je parie que tu ne réussiras pas à trouver un seul verre vide chez toi. Pourquoi cela ? Parce que tous les verres, même ceux qui ont l'air vides, sont remplis d'air. Si tu veux démontrer que l'air prend vraiment de la place, tout en étonnant tes amis, essaie cette petite expérience.

Il te faut :
un verre
du papier absorbant

1. Annonce à ton « public » que tu vas chiffonner le morceau de papier au fond du verre, plonger celui-ci dans un lavabo rempli d'eau, sans qu'une seule goutte d'eau ne vienne mouiller le papier.
2. Voici comment t'y prendre. Tasse bien le carré de papier au fond du verre de sorte qu'il ne puisse pas en sortir quand tu renverseras le verre.

3. Remplis le lavabo d'eau et plonges-y le verre en le tenant bien droit à l'envers.
4. Compte lentement jusqu'à dix, puis retire délicatement le verre de l'eau en prenant soin de le tenir en position verticale en tout temps. Tes amis n'en croiront pas leurs yeux quand tu sortiras un papier tout à fait sec du verre.

Tout s'explique
L'eau n'a pas pu pénétrer dans le verre puisque celui-ci était déjà plein d'air. Par ailleurs, l'air ne pouvait pas sortir du verre parce qu'il est plus léger que l'eau et qu'il est impossible qu'il s'en échappe par le bas.

Papier absorbant — Verre

FRAGILE COMME
UNE COQUILLE D'OEUF ?

L a prochaine fois qu'on cuisinera avec des oeufs à la maison, conserves-en les coquilles pour présenter cette expérience épatante à tes amis.

Il te faut :
4 oeufs crus
1 petite paire de ciseaux
du papier-cache adhésif
des livres de dimensions similaires

1. Pour casser les oeufs de façon à obtenir quatre coquilles vides, fêle délicatement le bout effilé de chaque oeuf en le frappant sur le comptoir.
2. Détache les petits morceaux de coquille avec soin.
3. Par cette ouverture, fais couler l'oeuf cru dans un bol.
4. Pose un ruban de papier adhésif autour du milieu de l'oeuf pour empêcher la coquille de se fendiller quand tu la découperas.
5. Taille soigneusement le pourtour de la coquille à travers le papier adhésif de façon à obtenir quatre demi-coquilles d'oeufs aux fonds égaux.
6. Mets ces demi-coquilles sur une table, l'ouverture vers le bas, en formant un rectangle légèrement plus petit que celui de tes livres.
7. Pose un livre sur ces coquilles. En vois-tu une qui se fendille ?
8. Continue à ajouter des bouquins jusqu'à ce que... CRRAC ! Combien de livres as-tu réussi à superposer sur les coquilles d'oeufs ? (Pour faire un peu d'épate devant tes copains, pèse les livres et dis-leur combien de kilogrammes il a fallu pour faire craquer les oeufs.)

Tout s'explique
Chaque demi-coquille d'oeuf est comme un dôme miniature, et le dôme est une des formes les plus résistantes. La raison ? Un poids au sommet du dôme est distribué tout le long de l'armature incurvée jusqu'à sa base élargie. Tout le poids d'un objet ne pèse donc pas sur un point précis de la structure. Voilà pourquoi on choisit souvent la forme du dôme pour de grands édifices construits sans le soutien de piliers, tels que stades et arènes.

Oeuf à la « coque dure »
Aux dernières nouvelles, le personnel du Ontario Science Centre, à Toronto, a fait la preuve qu'un seul oeuf peut porter une personne de 90 kilos (200 livres).

LA CANETTE
À PROPULSION ÉLASTIQUE

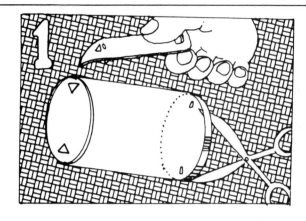

Grâce au mécanisme propulseur d'un élastique, il est possible d'envoyer rouler une canette loin de soi, puis de la faire revenir d'elle-même.

Il te faut :
un ouvre-boîte perforateur
des ciseaux
une boîte à café ou toute autre canette avec
   un couvercle de plastique
une longue bande élastique
un gros écrou ou un boulon

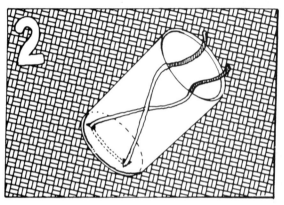

1. Fabrique d'abord ton petit véhicule. Avec l'ouvre-boîte, perce deux trous aux côtés opposés du fond de la canette, puis perfore deux trous correspondants avec les ciseaux dans le couvercle de plastique.
2. Coupe la bande élastique pour l'introduire par les trous du fond de la canette.
3. Mesure où va se trouver le milieu approximatif de la bande une fois qu'elle sera tendue d'un bout à l'autre de la canette. Suspends un écrou ou un boulon à cet endroit, tel que montré dans l'illustration.
4. Fais passer les bouts libres de la bande élastique à travers les trous du couvercle. Pose le couvercle sur la canette et attache solidement les extrémités de la bande.
5. Ton petit véhicule est prêt à partir. Sur une surface plane, envoie rouler la canette puis, lorsqu'elle commence à ralentir, commande-lui de revenir : après s'être immobilisée, elle reviendra sur-le-champ !

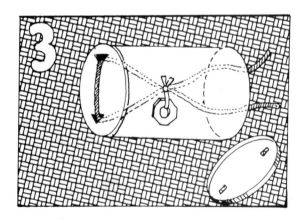

Tout s'explique

Une bande élastique peut emmagasiner de l'énergie pour la libérer par la suite. Comment ça ? Quand tu étires ou tu tords une bande élastique, celle-ci emmagasine la quantité d'énergie qu'il a fallu pour effectuer ces opérations. Lorsque tu lâches prise, l'énergie est libérée. Notre expérience démontre bien cette capacité de l'élastique à emmagasiner et à libérer l'énergie : en envoyant rouler la canette loin de toi, le poids à l'intérieur fait se tordre la bande qui

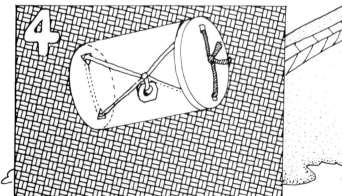

accumule cette énergie. Une fois l'élastique bien tortillé, la canette s'immobilise et commence à libérer son énergie en se remettant à rouler vers toi.

En remontant la côte

Pour que le truc de la « canette obéissante » soit encore plus spectaculaire, envoie-la rouler en bas d'une pente afin qu'elle paraisse défier la gravité en remontant cette pente vers toi. Tu peux tenter l'expérience sur une planche soulevée à une extrémité, mais vérifie d'abord sur quelle distance la canette peut rouler pour qu'elle puisse te revenir avant d'avoir atteint la base. Ou encore, au moyen de cartons, tu peux prolonger la piste au-delà de la planche de sorte que la canette puisse descendre de la planche et y remonter dans le même voyage.

C'EST DE LA SCIENCE-FRICTION !

O n va croire que ta règle est truquée. Tu auras beau jouer avec son centre de gravité, elle ne perdra pas l'équilibre.

Il te faut :
une règle d'un mètre

1. Demande à un ami de tenir ses mains à environ 60 cm (2 pieds) l'une de l'autre, les paumes tournées vers l'intérieur.
2. Pose la règle sur ses mains de manière qu'une des extrémités soit très rapprochée de l'une de ses mains, et que l'autre dépasse de beaucoup l'autre main.
3. Invite-le à déplacer ses mains simultanément jusqu'à ce que la règle se déséquilibre et tombe. Peu importe le nombre de tentatives, la règle restera toujours en équilibre.
4. Demande-lui maintenant d'amener ses mains ensemble en un point autre que le centre de la règle. Y arrivera-t-il ?

Tout s'explique

C'est la friction qui empêche la règle de tomber. Mais la friction, qu'est-ce que c'est ? C'est la résistance qu'offre tout objet en mouvement contre un autre. Plus l'objet situé au-dessus est lourd, plus la friction est grande entre celui-ci et celui sur lequel il repose. Puisque le bout le plus long de la règle est le plus lourd, la friction entre cette extrémité et la main du même côté est plus importante, et il est plus difficile d'y glisser la main. Ainsi, comme cette main ne peut se déplacer rapidement, c'est l'autre main qui vient à sa rencontre. Il en résulte que la règle maintient son équilibre et que les mains se joignent inévitablement au centre.

TAILLÉ À TA MESURE

Fais un pari avec tes copains. Demande-leur de tailler un trou assez grand dans une page de cahier pour laisser passer tout ton corps sans déchirer le papier. Impossible, selon toi ? Essaie tout de même.

Il te faut :
une feuille de papier (les formats usuels)
des ciseaux

1. Plie la feuille en joignant le haut et le bas de la page.
2. Découpe un rectangle le long du pli, tel qu'illustré.
3. Pratique treize entailles dans le papier, en te référant à notre schéma.
4. Étire le papier délicatement : tu devrais maintenant pouvoir passer à travers cette ouverture. Si le trou est trop juste, reprends-toi avec une autre feuille de papier mais, cette fois, fais-y plus d'entailles, toujours d'un nombre impair et en suivant le modèle illustré.
5. Essaie ce truc avec une feuille toujours plus petite pour voir jusqu'où il peut aller.

Tout s'explique

Par cette expérience, tu as réussi à rendre une feuille de papier extensible. Si tu étires le papier entaillé avec soin, tu peux constater qu'à certains endroits le papier résiste fermement tandis qu'à d'autres, il peut se séparer de la section voisine. Dans une certaine mesure, c'est ainsi que les molécules de caoutchouc modifient leur forme quand tu les étires.

AU GRAND AIR

Avec du soleil et une curiosité en éveil, le plein air va devenir le laboratoire des huit prochaines expériences.

À QUELLE VITESSE TOURNE LA TERRE ?

Tu sais sans doute que la Terre tourne : c'est la raison pour laquelle le soleil semble voyager dans le ciel. Au moyen d'un compteur de vitesse solaire facile à fabriquer, tu peux maintenant chronométrer la vitesse de la Terre.

Il te faut :

une loupe ou une lentille à face convexe; des lunettes feront parfaitement l'affaire. (Trouve une lentille arrondie. Après en avoir essayé plusieurs, choisis celle qui établit la plus longue distance entre elle et l'objet qu'elle permet d'apercevoir au foyer.)

du papier-cache adhésif

une chaise

une feuille de papier blanc

une montre ou une horloge avec trotteuse (aiguille des secondes)

1. Fixe avec l'adhésif le manche de la loupe au siège de la chaise de sorte que la lentille en dépasse le bord à l'horizontale, et expose-la au soleil.
2. Place le papier à l'endroit où la lumière qui traverse la lentille brille sur le sol. Rapproche le papier de la lentille, ou soulève la chaise de façon à éloigner la lentille du papier, jusqu'à ce que tu obtiennes un cercle de lumière bien défini, puis sers-toi de livres ou de boîtes pour élever le papier ou la chaise.
3. Trace un cercle étroit autour de la tache lumineuse, puis consulte ta montre ou l'horloge pour mesurer le temps qu'il faut à la lumière pour quitter complètement ce cercle.

Qu'est-ce qui se passe ?

La tache lumineuse est une petite reproduction du soleil. Quand celui-ci sort tout à fait du cercle qui le circonscrit, c'est que la Terre a franchi 1/2° de sa rotation de 360°. Si tu multiplies par 720 les minutes et les secondes qu'il aura fallu à la « tache solaire » pour se déplacer de 1/2°, tu obtiendras en heures la longueur réelle approximative du jour. Les astronomes, quant à eux, utilisent des horloges atomiques pour mesurer exactement la durée d'une journée.

Capter le soleil

On recueille souvent l'énergie solaire au moyen de lentilles ou de réflecteurs. Maintenant que tu as vu à quelle vitesse étonnante la « tache solaire » se déplace, tu imagines mieux la difficulté d'aligner les récepteurs solaires sur la lumière. On résout le plus souvent le problème en utilisant des moteurs qui font tourner les récepteurs solaires à la vitesse de rotation du globe, mais en direction opposée. Ils sont ainsi dirigés vers le soleil tout le jour.

LES GRAINES ONT-ELLES UNE BOUSSOLE ?

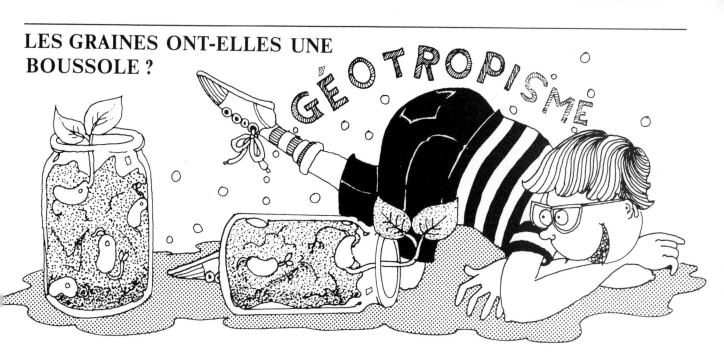

GÉOTROPISME

F aut-il se soucier de semer une graine dans le bon sens ? Après tout, il serait préférable que sa tige pousse vers le haut et les racines vers le bas, n'est-ce pas ? La plante saura-t-elle de quel côté pousser si tu places la graine à l'envers ? Pour le découvrir, voici comment préparer des jardins de verre.

Il te faut :
10 fèves fraîches (peu importe la variété)
2 bocaux à large ouverture ou 2 verres
un papier buvard assez grand pour tapisser l'intérieur des récipients
du papier absorbant

1. Fais tremper les fèves dans l'eau toute la nuit.
2. Coupe le papier buvard pour qu'il épouse les parois de chaque récipient, tel qu'illustré.
3. Bourre le centre des récipients de papier absorbant, puis verse de l'eau pour le saturer. Vide le surplus d'eau.
4. Place cinq des fèves trempées dans chaque pot, entre le papier buvard et le verre, en les espaçant également et en les gardant près de l'ouverture des récipients. Dispose les graines dans des positions différentes, soit à l'horizontale, à la verticale, en diagonale.
5. Range les pots à un endroit où tu pourras les observer pendant plusieurs jours, en prenant soin de ne pas les exposer aux rayons directs du soleil. Pour faire germer les graines, il faut maintenir le papier buvard humide en arrosant régulièrement le papier absorbant. Dans les prochains jours, tu verras apparaître les premiers germes. Les racines vont pousser à une extrémité de chaque graine et une tige à l'autre. Or, quelle que soit la façon dont tu as disposé les graines, les racines vont se diriger vers le bas et les tiges vers le haut. En moins d'une semaine, les plantes auront des petites feuilles vertes.
6. Quand les pousses auront dépassé l'ouverture des pots de 2 à 3 cm, couche l'un d'eux sur le côté. Quelques jours plus tard, une fois de plus, tu pourras voir les tiges se tourner vers le haut et les racines dévier pour continuer de pousser vers le bas.

Tout s'explique

Les plantes ont des hormones de croissance qui réagissent à l'attraction gravitationnelle de la terre; ce sont elles qui orientent les racines vers le bas et les tiges vers le haut. Grâce à cette réaction appelée géotropisme (mot qui vient du grec et signifie « tourné vers la terre »), tu n'as plus à te soucier de semer des graines à l'endroit ou à l'envers.

RÈGLE TA MONTRE
SUR LE SOLEIL

L'invention des horloges à énergie solaire remonte à des millénaires; cela s'appelait un cadran solaire. Tu peux aussi t'en fabriquer un.

Malheureusement, les mesures métriques n'ont pas d'équivalents exacts dans le système britannique. Pour ce projet-ci uniquement, choisis à ta guise les centimètres ou les pouces, mais sache qu'un cadran solaire construit selon des mesures en pouces sera presque trois fois plus grand qu'un cadran en centimètres.

Il te faut :

2 cartons ondulés épais de 20 cm (po) carrés. (Le bois est préférable si tu dois le laisser à l'extérieur, mais il te faudra de l'aide pour le scier.)
un compas
un stylo
une règle
un rapporteur
des ciseaux
de la colle blanche
du papier-cache adhésif

1. Sur un morceau de carton de 20 cm (po) carrés, trace deux lignes diagonales d'un coin à l'autre, tel qu'illustré à droite. Leur point de rencontre se trouve au centre du carton.
2. Ajuste le compas pour que l'écart entre la pointe et le stylo soit de 9 cm (po), et trace un cercle en piquant la pointe au centre du carton. Tu devrais obtenir un cercle de 18 cm (po) de diamètre.
3. Divise le cercle en deux et inscris douze points d'égale distance autour de la circonférence d'une moitié. Numérote chaque point dans l'ordre suivant, tel qu'illustré : 6, 7, 8, 9, 10, 11, 12, 1, 2, 3, 4, 5. Voilà pour le cadran.
4. Tu peux maintenant commencer à fabriquer la tige triangulaire appelée gnomon (mot grec qui signifie « celui qui sait »). Sur le deuxième carton, trace une ligne de 8 cm (po) qui sera la base du gnomon.
5. Pour que le cadran solaire fonctionne correctement, la base doit être taillée selon le même angle que la latitude sous laquelle tu habites. Consulte l'indicateur de latitudes de la page suivante pour obtenir l'angle exact de ton gnomon. Lorsque tu l'auras trouvé, utilise un rapporteur pour établir l'angle en faisant une croix au-dessus de ta ligne, tel qu'indiqué.
6. Trace deux lignes, la première de la base à gauche jusqu'à la croix sur 20 cm (po); la seconde ligne relie les deux premières. Découpe le gnomon.
7. Sur le cadran, trace une ligne depuis le chiffre 12 jusqu'au milieu du cercle et démarque un point sur cette ligne à 1 cm (po) du centre. Place la base du gnomon sur cette ligne, avec l'angle tel que mesuré touchant la marque que tu as faite. Fixe le gnomon avec le papier-cache et la colle, et ton cadran est prêt.
8. Choisis un endroit où le soleil brille tout le jour mais — ce qui est curieux — il faudra attendre la nuit pour l'installer. C'est parce que la pointe du gnomon doit être en direction nord, et la meilleure façon d'y arriver est de l'aligner sur l'étoile polaire (cette étoile brillante située au bout de la Petite Ourse). Vise l'étoile le long du gnomon jusqu'à ce que la pointe soit alignée sur elle, puis fixe le cadran de manière permanente.
9. Pour savoir quelle heure il est à ton cadran, regarde l'ombre du gnomon. Le chiffre où l'ombre se termine te dira l'heure.

Pourquoi le gnomon doit être posé à l'angle

Parce que la Terre n'est pas à angle droit sur son axe, le soleil paraît plus bas à l'horizon l'hiver, et plus haut l'été. Ce déplacement apparent se situe à un angle par rapport à l'horizon, à l'aube et au crépuscule. Où que tu sois, cet angle correspond à ta latitude. Si tu tailles le gnomon de ton cadran pour qu'il ait le même angle par rapport à la base, l'ombre atteindra toujours le même point à la même heure, pendant toute l'année.

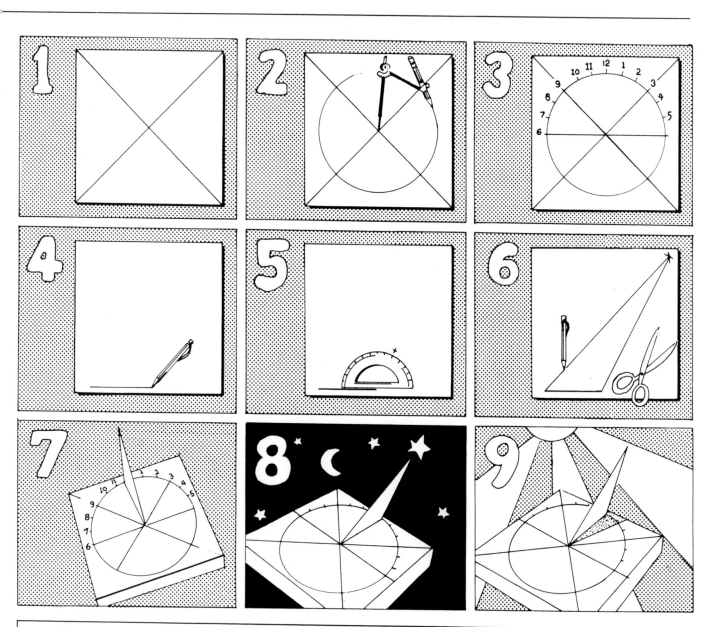

INDICATEUR DE LATITUDES

Ville	Latitude*	Ville	Latitude*	Ville	Latitude*
Vancouver, C.-B.	49 N	Montréal, Québec	43 N	Chicago, Illinois	41 N
Edmonton, Alberta	53 N	Québec (ville de), Québec	46 N	Houston, Texas	29 N
Calgary, Alberta	51 N	Halifax, Nouvelle-Écosse	44 N	Nouvelle-Orléans, Louisiane	30 N
Winnipeg, Manitoba	50 N	St. John's, Terre-Neuve	47 N	Washington, D.C.	39 N
Toronto, Ontario	44 N			New York (ville de) New York	40 N
Ottawa, Ontario	45 N	Los Angeles, Californie	34 N		
		Minneapolis, Minnesota	45 N		

NOTE : Consulte un atlas, si ta ville ne figure pas ici.

* Arrondi au degré le plus proche.

LA COULEUR DU TEMPS

La mode a-t-elle quelque chose à voir avec la science ? Regarde autour de toi. À l'approche de l'hiver, quand le temps fraîchit, les gens portent des vêtements plus lourds et plus chauds. Or ces vêtements ont aussi une autre caractéristique commune : ils sont habituellement de couleurs plus sombres que les vêtements d'été. Bleu marine, brun, vert et rouge foncé sont les couleurs de la garde-robe d'hiver, par opposition aux teintes de pastel et au blanc de l'été. C'est plein de bon sens scientifique, comme le démontre l'expérience qui suit.

Il te faut :
2 verres de carton blanc
un thermomètre extérieur ou de cuisson
de la peinture noire

1. Peins l'extérieur d'un verre en noir.
2. Verse des quantités égales d'eau (de même température) dans chacun des verres et expose-les côte à côte au soleil pendant une demi-heure.
3. Vérifie maintenant la température de l'eau des deux verres. Laquelle est plus chaude ?

Tout s'explique

Rien d'étonnant que l'eau du contenant noir soit plus chaude : les couleurs sombres absorbent la lumière et la transforment en chaleur. Les teintes douces et claires, en revanche, agissent comme des réflecteurs, et renvoient la lumière qu'elles reçoivent. Il est donc plein de bon sens scientifique de préférer les couleurs sombres qui absorbent la chaleur en hiver et les teintes claires qui réfléchissent la chaleur en été.

UN PURIFICATEUR d'EAU SOLAIRE

Comment se débarrasser des impuretés d'une eau boueuse ? En la lessivant ? En la passant au tamis ? Le moyen le plus simple est encore de fabriquer ce purificateur d'eau élémentaire et de confier la tâche au soleil.

Il te faut :
un grand bassin
un verre moins haut que le bassin
2 cailloux propres
un morceau de plastique transparent assez grand pour couvrir le bassin
du papier-cache adhésif

1. Remplis le bassin de 5 cm (2 po) d'eau boueuse.
2. Place le bassin à un endroit où il sera exposé au soleil toute la journée.
3. Place le verre à l'endroit au centre du bassin et stabilise-le, s'il y a lieu, en y déposant un caillou propre.
4. Recouvre le bassin d'un plastique clair. Étire-le et fais-le adhérer au bac avec le ruban adhésif.

5. Pose un caillou sur la pellicule plastique au-dessus du verre (il ne faut pas qu'ils se touchent cependant), et observe ce qui se passe. Au cours de la journée, des gouttes d'eau claire se forment à l'intérieur de la pellicule et tombent dans le verre.

Tout s'explique

La chaleur du soleil chauffe l'eau qui s'évapore. Dès que cette vapeur adhère à la pellicule plastique plus fraîche, elle se condense à nouveau en gouttelettes d'eau. Tu as ainsi purifié l'eau par le procédé appelé distillation. Mais où donc est passée la boue ?

La terre et les impuretés qui composent la boue ne s'évaporent pas à la même température que l'eau. C'est pourquoi les particules de boue demeurent une fois que l'eau s'est évaporée. L'eau recueillie dans le verre, par contre, contient très peu d'impuretés.

On a souvent recours au procédé de distillation pour séparer les éléments d'un mélange. C'est une façon, entre autres, d'obtenir de l'eau douce à partir d'une eau salée.

UN JARDIN À L'ENVERS

Imagine que tu laisses traîner une paire de chaussettes cet été dans ton jardin, et que tu l'y oublies. Tu te mets à sa recherche au printemps. Que vas-tu retrouver, à ton avis ? Cela va dépendre de quoi sont faites tes chaussettes — à moins que ton chien ne les ait trouvées avant toi ! Pour te faire une idée, plante un jardin à l'envers — à l'envers, parce que, généralement, on fait pousser des choses dans un jardin, mais toi, tu vas les faire se désintégrer !

Il te faut :
un vieux bas nylon
un bout de tissu en coton (une vieille chaussette ou
    un bout de serviette de bain fera l'affaire, à
    condition d'être 100 % coton)
une feuille de papier
un bout d'emballage plastique
un peu de laine
une tasse en plastique
un morceau de papier d'aluminium
un trognon de pomme

1. Creuse un trou de 12 cm (5 pouces) de profondeur pour chacun des objets que tu vas planter.
2. Verse dans les trous assez d'eau pour bien mouiller la terre. Place ensuite un objet dans chaque trou et couvre-le de terre. N'oublie pas de mettre un repère à chaque emplacement pour pouvoir retrouver l'objet.
3. Laisse les objets pendant 30 jours dans ton jardin et arrose-les tous les jours. Passé ce temps, creuse à nouveau pour extraire les objets. Quels changements se sont produits ?

Que s'est-il passé ?
Certains objets que tu avais « plantés » ont commencé à se désintégrer. Cela veut dire qu'ils sont biodégradables — des organismes naturels sont capables de les détruire. Et les objets qui ne se sont pas désintégrés... ont-ils des points communs ?

Sois un campeur avisé
La prochaine fois que tu iras camper, pense à ton jardin à l'envers avant de laisser quoi que ce soit par terre. Il y a ci-dessous deux listes : une de choses biodégradables, une autre de choses qui ne le sont pas. Avant de lever le camp, tu devrais enfouir les choses biodégradables pour activer leur désintégration. Quant aux rebuts non biodégradables, emporte-les chez toi.

Enfouis
nourriture
papiers (tu peux aussi
    les brûler)

Emporte chez toi
emballages plastiques
tasses et assiettes
    en polystyrène
papier d'aluminium
bouteilles en plastique
boîtes de conserve

VIVE LA FRAÎCHEUR !

 omment ne pas avoir chaud en plein été ?
C'est facile avec un peu de science.

Il te faut :
une paire de chaussettes
un peu d'eau
une belle journée chaude et ensoleillée

1. Trempe une chaussette dans l'eau puis essore-la pour en retirer l'excédent d'eau.
2. Va dehors et enfile les chaussettes (une sèche, une mouillée) et assieds-toi les pieds au soleil. Est-ce que tu remarques une différence de température entre tes deux pieds ?

Tout s'explique
Ton pied mouillé est plus frais, grâce à l'évaporation. L'évaporation, c'est la transformation d'un liquide en vapeur au moyen d'énergie. Quand un liquide s'évapore d'une surface, il y a consommation de chaleur; la surface devient alors plus fraîche. C'est ce qui arrive à ton pied. L'eau qui s'évapore utilise la chaleur du soleil et celle de ton corps. Résultat : tes doigts de pied sont au frais.

Il y a aussi évaporation quand l'air d'un ventilateur te rafraîchit. L'air fait s'évaporer plus rapidement ta transpiration. En fait, si nous transpirons, c'est entre autres raisons à cause de l'effet rafraîchissant de l'évaporation.

27

UNE CUISINIÈRE SOLAIRE

« Il fait assez chaud pour cuire un oeuf sur le trottoir ! » Tu as peut-être déjà entendu cette expression, mais as-tu essayé ? Si oui, tu as dû être déçu, mais ne désespère pas car voici une façon de cuire des oeufs et d'autres aliments en quelques minutes, en utilisant seulement la chaleur du soleil. Tu auras peut-être besoin d'aide pour fabriquer cette cuisinière solaire — toutes les mesures doivent être exactes — mais le résultat en vaut la peine.

Tu peux faire cette expérience avec n'importe quelle unité de mesure — centimètres, mètres, pouces, pieds. Autrement dit, une unité peut être égale à un pouce, à un centimètre ou un demi-pouce, selon la taille que tu veux donner à ta cuisinière. Tu peux aussi utiliser des mesures supérieures ou inférieures aux mesures spécifiées. L'essentiel est de bien respecter les proportions indiquées ici.

Il te faut :
un carré de carton ondulé de 50 unités de côté pour la base
un crayon
un rapporteur
plusieurs morceaux de carton ondulé pour les cloisons
des ciseaux
des épingles
de la colle
du papier d'aluminium
des aliments à cuire

1. Trace sur le carré de carton ondulé un cercle d'un rayon de 50 unités que tu découpes.
2. À l'intérieur de ce cercle, trace un autre cercle d'un rayon de 45 unités et marque sa circonférence en entaillant à moitié le carton.
3. Avec le rapporteur, divise le cercle en 16 sections de 22,5° chacune. Fais ensuite une fente entre

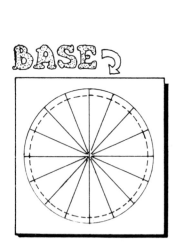

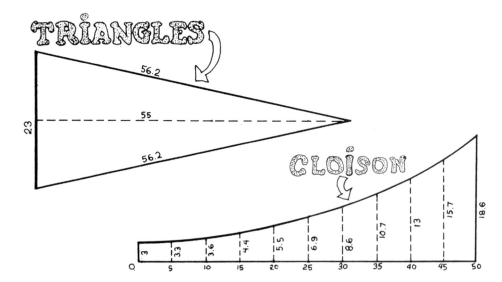

chaque section en coupant le carton à l'extérieur du cercle marqué.

4. Retourne le cercle. Plie les bords entaillés vers le haut.

5. Sur un autre morceau de carton, découpe une cloison selon les mesures indiquées sur le dessin. Reporte-la 15 fois sur du carton pour en découper 15 autres. Tu as maintenant 16 cloisons identiques.

6. Encolle l'arête inférieure de la cloison et glisse-la dans une fente. Maintiens la cloison en position à l'aide d'épingles jusqu'à ce que la colle soit sèche.

7. Découpe 16 triangles selon les dimensions indiquées.

8. Recouvre chaque triangle de papier d'aluminium, côté brillant sur le dessus. Colle le papier sur le carton.

9. Colle huit triangles sur les cloisons. Chaque triangle s'adapte sur deux cloisons et couvre une section. Attends que la colle sèche.

10. Couvre les sections restantes en collant les huit triangles restants à ceux qui sont déjà en place.

11. Tiens les aliments au-dessus du centre de la cuisinière. Élève-les et abaisse-les jusqu'à ce que tu trouves le point le plus chaud. Un hot-dog sur un bâton ou un oeuf dans une assiette à tarte en aluminium seront cuits en quelques minutes.

Tout s'explique
La cuisinière que tu as fabriquée est en fait un réflecteur parabolique. Elle recueille les rayons du soleil et les concentre en un seul point au-dessus de son centre. C'est le point focal — c'est-à-dire le point chaud où les rayons du soleil se concentrent directement et au-dessus duquel il faut tenir les aliments. Il se trouve à environ 40 unités au-dessus du centre de la cuisinière.

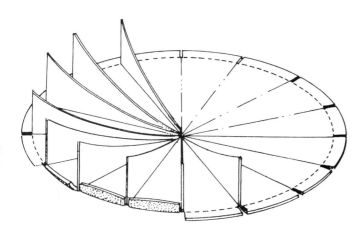

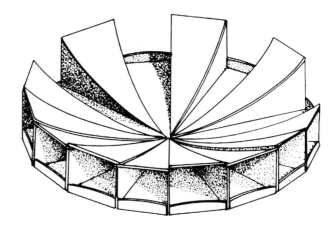

ÉNIGMES, MYSTÈRES ET CASSE-TÊTE

D'où vient le vent ? Comment des icebergs énormes peuvent-ils flotter ? Si tu demandes le pourquoi et le comment de ce genre de choses, lis ce qui suit. Les dix-sept prochaines expériences t'aideront à répondre aux questions que tu te poses le plus souvent.

PLUIE MAISON

«Il pleut, il pleut bergère... » dit la chanson. Mais d'où vient donc cette pluie ? Une bonne façon de le savoir, c'est de faire toi-même pleuvoir dans ta cuisine.

Il te faut :
une grande cuillère ou une louche
une bouilloire pleine au quart

1. Mets la cuillère ou la louche dans le congélateur pour la refroidir.
2. Quand la cuillère est glacée, branche la bouilloire. (Retire la cuillère du congélateur seulement quand l'eau bout). Quand l'eau de la bouilloire chauffe, elle se transforme en vapeur. On croit généralement que le nuage blanc qui sort de la bouilloire est de la vapeur, mais c'est faux. La vraie vapeur est invisible. Si tu regardes bien attentivement le bec de la bouilloire — ne t'approche pas trop près quand même — tu vas voir un espace entre ce bec et le nuage blanc. C'est dans cet espace qu'il y a de la vapeur. Quand la vapeur entre en contact avec l'air à l'extérieur de la bouilloire, elle refroidit et se transforme en vapeur d'eau qui devient visible sous la forme d'un nuage blanc.
3. Une fois que l'eau bout, tiens la cuillère dans le nuage blanc qui s'échappe du bec de la bouilloire. Ça y est ! Dans quelques secondes, il va « pleuvoir » dans ta cuisine.

Tout s'explique
Ta cuillère glacée refroidit brusquement la vapeur d'eau qui s'échappe du bec de la bouilloire, se condense en eau, puis tombe « en pluie » par terre.

Dans la réalité
La vraie pluie ressemble beaucoup à la pluie maison, mais le processus est plus long. Au lieu d'une cuisinière, c'est le soleil qui chauffe l'eau des rivières, des lacs, des océans et même des flaques. Heureusement pour les poissons, les grenouilles et les baigneurs, la chaleur du soleil qui atteint la terre n'est pas suffisante pour faire bouillir l'eau. Par contre, elle est suffisante pour permettre aux minuscules molécules de l'eau de s'échapper et de s'élever dans le ciel. C'est ce qu'on appelle l'« évaporation ».

Quand l'air chaud porteur d'eau s'élève, il refroidit et un nuage de vapeur d'eau se forme, exactement de la même façon qu'un nuage de vapeur d'eau s'est formé quand tu as fait bouillir l'eau de la bouilloire.

L'air froid ne peut pas contenir autant d'eau que l'air chaud. Alors, quand l'air devient trop froid pour retenir toute la vapeur d'eau, une partie retombe sur terre sous forme de pluie ou de neige. Puis tout le cycle recommence.

LE POIDS MYSTÉRIEUX

S i tu poses une bassine d'eau sur une balance et que tu t'assieds dedans, ton poids va s'ajouter à celui de la bassine d'eau. Et si tu plonges seulement ton pied dans l'eau, sans toucher le fond ou les parois de la bassine ? Crois-tu que la balance va enregistrer un poids supplémentaire ? Cette expérience va t'aider à résoudre le mystère.

Il te faut :
2 verres d'eau, en plastique de préférence
une règle solide
un crayon rond ou une cheville de bois ronde
    de la longueur d'un crayon
du ruban adhésif

1. Fixe le crayon ou la cheville de bois à la table avec du ruban adhésif pour l'empêcher de rouler.
2. Pose la règle en équilibre sur le crayon.
3. Place un verre à chaque extrémité de la règle. Emplis les verres d'eau environ aux trois quarts. Complète la quantité d'eau dans les verres jusqu'à ce qu'ils soient parfaitement en équilibre.
4. Trempe ton doigt dans l'eau d'un des verres.

Surtout, ne touche pas le fond ni la paroi du verre. Que fait la balance ? Mets ton doigt dans l'autre verre pour voir si la même chose se produit.

Tout s'explique

Comment se fait-il que le verre d'eau pèse plus lourd quand tu mets ton doigt dedans, sans toucher le verre lui-même ? Recommence, et cette fois regarde bien le niveau de l'eau dans le verre quand tu enfonces ton doigt.

Ton doigt a pris la place d'une partie de l'eau, et l'eau ainsi déplacée forme un niveau supérieur au niveau précédent. Si l'eau qui a été déplacée disparaissait tout simplement, le poids du verre — avec ton doigt à l'intérieur — ne changerait pas. Non seulement ton doigt occupe l'espace d'une partie de l'eau, mais encore il ajoute au poids de cette eau. Comme l'eau déplacée est toujours là, le verre pèse davantage. Le poids supplémentaire est égal au poids de la quantité d'eau délogée.

Est-ce que tu obtiendrais un résultat identique en plongeant dans l'eau un morceau de métal de la taille d'un doigt ? Et avec un morceau de bois de la taille d'un doigt, que se passerait-il ?

LA BANDE DE MOEBIUS

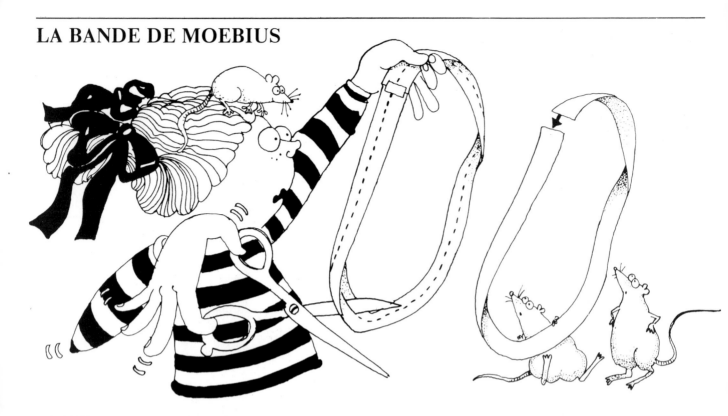

Tu as peut-être déjà entendu dire que toute chose présente deux aspects. Oui, mais lesquels ? À toi de les trouver, et voici comment.

Il te faut :
plusieurs bandes de papier d'environ 25 cm
  (10 pouces) de long et d'environ 2 cm (1 pouce)
  de large
du ruban adhésif
des ciseaux
2 crayons ou 2 feutres de couleurs différentes

1. Fais un cercle avec l'une des bandes de papier en collant ensemble les extrémités. Coupe le cercle en deux par le milieu de la bande. Qu'est-ce que tu obtiens ? Ça t'étonne ? Sûrement pas.
2. Prends une autre bande de papier et fais-lui subir une demi-torsion avant de coller ensemble les extrémités. Maintenant, coupe-la de la même façon. Hé ! que se passe-t-il ?
3. Recommence l'expérience avec deux autres cercles de papier, l'un avec une demi-torsion, l'autre sans torsion.
4. Tu vas te servir de tes crayons. Commence par le cercle sans torsion. Trace avec un crayon un trait tout le long de la face externe, jusqu'à ce que tu reviennes à ton point de départ. Fais la même chose avec l'autre crayon sur l'autre face de la bande de papier. Deux faces, deux couleurs, c'est bien ça ? Essaie d'en faire autant avec la bande qui a subi une demi-torsion.
5. Fais une autre expérience. Colorie l'un des bords du cercle sans torsion. Essaie ensuite de colorier un bord de l'autre cercle.

Que se passe-t-il ?
Le cercle avec torsion est l'étonnante bande à une seule face et à un seul bord de Moebius, du nom de Ferdinand Moebius, le mathématicien qui l'a découverte. La chose surprend mais elle s'explique de façon logique. Quand tu coupes en deux ta bande de papier à deux faces et à deux bords, tu obtiens deux morceaux, ce qui fait un total de quatre faces et quatre bords. La bande de Moebius qui subit le même sort reste d'une seule pièce, mais elle a combien de faces et de bords ? Si tu coupes par deux fois un cercle fait d'une bande de papier, tu vas obtenir trois cercles distincts, ce qui fera un total de six faces et six bords. Essaie de faire trois cercles avec ta bande de Moebius. Alors ? Devine le nombre de faces et de bords obtenus, puis vérifie.

LE MYSTÈRE DE L'EAU
QUI MONTE DANS L'ARBRE

L a prochaine fois que tu t'étendras à l'ombre d'un arbre, demande-toi ceci : comment l'eau monte-t-elle des racines de l'arbre jusqu'à sa cime couronnée de feuilles ? Voici une expérience qui t'aidera à résoudre ce mystère.

Il te faut :
une tasse à demi remplie d'eau
un peu de colorant alimentaire bleu ou rouge
une branche de céleri avec quelques feuilles

1. Verse une cuillerée à café de colorant alimentaire dans l'eau.
2. Coupe le bas de la branche de céleri d'environ 3 cm (environ 1 pouce), pour avoir une extrémité fraîche, et mets la branche dans l'eau.
3. Laisse le céleri dans l'eau pendant une heure ou deux. Tu vas voir que la teinture colore peu à peu les feuilles.
4. Quand la couleur a atteint le bout des feuilles, retire le céleri de l'eau et coupe la branche dans le sens transversal. Tu verras une rangée de minuscules cercles de couleur. Ce sont les bouts coupés de longs tubes fins qui courent le long de la branche de céleri. L'eau colorée est passée par ces tubes. Les arbres possèdent des tubes semblables tout au long de leur tronc.

Tout s'explique

On ne sait pas encore très bien pourquoi l'eau monte dans les arbres. Les scientifiques pensent que tout dépend des propriétés particulières de l'eau, et du fait que les tubes sont poreux et étroits. Les tubes se déversent dans les feuilles et la chaleur du soleil fait s'évaporer les molécules d'eau au sommet. L'eau a tendance à monter un tout petit peu le long des parois faites de certaines matières (les verres à boire, par exemple). C'est parce que les molécules d'eau qui étaient en surface se sont évaporées et celles qui viennent ensuite montent derrière elles. Les molécules d'eau sont toujours très serrées les unes contre les autres. Quand elles se retrouvent pressées dans des tubes très étroits, elles s'agrippent davantage encore entre elles, avec suffisamment de force pour attirer à elles les molécules d'eau qui les suivent. De cette façon, au fur et à mesure que les molécules du sommet se déplacent, toute la chaîne

monte dans l'arbre. Cela n'est cependant possible que si les tubes sont pleins de liquide au départ, c'est pourquoi les arbres et les autres plantes sont pourvus de tubes pleins de liquide depuis les premiers jours de leur existence, quand ils ne sont encore que de jeunes plants.

SOUS PRESSION

Sans nous en rendre compte, nous vivons au fond d'un océan d'air de 483 km (environ 300 milles) de profondeur ! Tout cet air pèse sur nous et sur tout ce qui nous entoure. Si nous ne sommes pas écrasés par la pression énorme de tout cet air, c'est parce que de l'air qui est aussi en nous et sous nous exerce vers l'extérieur et vers le haut une pression égale. Donc, les pressions s'annulent. Voici deux expériences qui vont te faire voir que la pression de l'air est une réalité.

L'air exerce une pression vers le haut

Il te faut :
un verre à eau ordinaire
un morceau de carton rigide et plat

1. Emplis le verre d'eau à ras bords.
2. Pose le carton sur le verre. Assure-toi qu'il n'y a pas de bulles d'air dans l'eau.
3. Maintiens fermement le carton contre le verre et retourne le verre au-dessus de l'évier. Enlève ta main du carton. Qu'arrive-t-il ?

Tout s'explique
Le carton reste en place grâce à la pression que l'air extérieur exerce vers le haut. La pression de cet air est supérieure au poids de l'eau qui pèse sur le carton. Tant que le carton n'est pas détrempé et ne s'affaisse pas, il reste en place de lui-même. Si, au départ, le carton n'est pas ferme et bien plat, il laissera passer de l'air et l'eau s'échappera. Cette expérience sera donc ratée.

Il suffit d'un souffle pour chasser l'air

Il te faut :
2 longues bandes de papier

1. Tiens les deux bandes de papier à quelques centimètres (à environ 2 pouces) l'une de l'autre, en les laissant pendre devant toi.
2. Que va-t-il se passer, à ton avis, si tu souffles entre les deux bandes ? Elles vont s'écarter l'une de l'autre, n'est-ce pas ?

Tout s'explique
Pourquoi les deux bandes de papier *se rapprochent-elles* l'une de l'autre au lieu de *s'écarter ?* En chassant l'air qui se trouve là, tu en affaiblis la pression. La pression de l'air de part et d'autre des bandes devient ainsi supérieure à l'air qui est entre elles, et les morceaux de papier sont alors poussés l'un vers l'autre.

AIR

LA PRESSION DE L'EAU
ÉNIGME 1

S'il y avait une fuite dans ton aquarium, l'eau jaillirait plus loin si la fuite était plus près du haut de l'aquarium ou plus près du bas ? Fais-en l'expérience toi-même.

Il te faut :
une boîte de lait en carton, vide
un stylo ou un crayon
un bout de ruban adhésif de la longueur de la boîte de lait

1. Avec ton crayon, perce trois ou quatre trous, l'un au-dessus de l'autre, sur un côté de la boîte. Fais le trou du haut à au moins 3 cm (1¼ pouce) du haut de la boîte.
2. Bouche les trous avec le ruban adhésif.
3. Emplis la boîte d'eau.
4. Mets la boîte dans l'évier ou dans la baignoire. Enlève d'un coup sec le ruban adhésif. Quel jet d'eau va le plus loin ?

Tout s'explique
C'est la pression de l'eau qui fournit la solution de l'énigme. L'eau qui est en bas de la boîte a toute la force de l'eau qui est au-dessus et qui pèse sur elle en la poussant vers l'extérieur. L'eau qui est en haut de la boîte n'a pas beaucoup d'eau au-dessus d'elle, donc pas beaucoup de pression.

LA PRESSION DE L'EAU
ÉNIGME 2

 Plus l'eau est *profonde,* plus grande donc est sa pression. Mais cela change-t-il quelque chose qu'il y ait beaucoup ou peu d'eau ?

Il te faut :
une petite boîte de jus de fruit congelé
une grande boîte à café en fer-blanc ou une boîte
   de conserve de 1 litre (1 pinte)
du ruban adhésif
un poinçon, ou un autre outil pour percer des trous
   dans du fer-blanc

1. Perce un trou à 2 ou 3 cm (environ un pouce) de la base de chaque boîte.
2. Bouche les trous avec du ruban adhésif.
3. Emplis les deux boîtes à un égal niveau d'eau (par ex. 5 cm [2 pouces] d'eau dans chacune). Tu devras verser plus d'eau dans la grande boîte pour obtenir le même niveau.
4. Mets les deux boîtes dans l'évier ou dans la baignoire. Enlève les rubans adhésifs en même temps. Quel jet va le plus loin ?

JUS
CONGELÉ

D'OÙ VIENT LE VENT ?
EXPÉRIENCE 1

Tu t'es déjà demandé pourquoi il y a du vent ? Voici comment faire du vent avec une simple ampoule électrique.

Il te faut :
une ampoule électrique
de la poudre de talc

1. Enlève l'abat-jour et allume la lampe.
2. Quand l'ampoule est chaude, saupoudre un petit peu de talc juste au-dessus, et regarde ce qui arrive.

Tout s'explique
La poudre est emportée vers le haut par un courant montant d'air chaud, ou de vent, chauffé par l'ampoule. Quand le soleil chauffe la terre, le vrai vent se lève. Au fur et à mesure que la terre se réchauffe, elle chauffe à son tour l'air qui se trouve au-dessus d'elle. Cet air chaud se dilate et devient ainsi plus léger. L'air chaud et léger s'élève, laissant la place à de l'air plus lourd et plus frais. C'est ce mouvement de l'air qu'on appelle le vent.

IL VENTE ENCORE
EXPÉRIENCE 2

I l te faut :
une ampoule électrique
un crayon
une feuille de papier
des ciseaux

1. Découpe une spirale dans la feuille de papier, tel qu'illustré.
2. Pose le centre de la spirale en équilibre sur la pointe du crayon. Tu peux appuyer un peu sur le papier pour l'empêcher de glisser, mais fais attention de ne pas le trouer.
3. Allume l'ampoule et attends quelques minutes pour qu'elle soit chaude. Tiens ensuite ton crayon avec la spirale en équilibre juste au-dessus de l'ampoule. Que se passe-t-il ?

Tout s'explique
La spirale se met à tourner parce que l'ampoule réchauffe l'air qui l'entoure. Cet air chaud et léger s'élève, créant ainsi un mini-vent qui fait tourner la spirale, tout comme le vrai vent fait tourner les ailes d'un moulin.

spirale de papier

2.

GORGÉES CHAUDES

P ourquoi les premières gorgées de cacao semblent-elles toujours plus chaudes que les dernières ? Est-ce parce que ta bouche s'habitue à la chaleur ? Est-ce parce que le liquide refroidit en le buvant ? Pour résoudre ce mystère, fais l'expérience suivante.

Il te faut :
un bout de ficelle d'environ 30 cm (1 pied) de long
une petite bouteille
un grand bocal
du colorant alimentaire

1. Attache la ficelle autour du goulot de la petite bouteille.
2. Emplis d'eau froide le grand bocal.
3. Emplis la petite bouteille d'eau chaude et verse vite dedans assez de colorant alimentaire pour obtenir une coloration foncée.
4. À l'aide de la ficelle, fais descendre lentement la petite bouteille dans le grand bocal plein d'eau froide. Évite d'incliner la petite bouteille. Au fur et à mesure que la petite bouteille va descendre, de l'eau chaude colorée va s'en échapper. Quand la petite bouteille sera arrivée au fond du bocal, de l'eau colorée continuera à en sortir. Bientôt, toute l'eau colorée flottera en haut du bocal.

Tout s'explique

L'eau chaude se dilate et s'élève. C'est pour cela que l'eau chaude et colorée monte à la surface. C'est pour cela aussi que la surface du cacao est plus chaude que le reste.

Crois-tu que c'est également valable pour les boissons froides ? Comment savoir si les boissons froides sont plus froides en profondeur ? As-tu une idée ?

Fais-en l'expérience avec un glaçon d'eau teinté avec une teinture végétale.

L'EAU MAGIQUE

En quoi un verre plein d'eau et un autobus aux heures de pointe se ressemblent-ils ? C'est qu'il reste toujours une petite place ! Tu vas être bien étonné de voir tout ce que tu peux mettre dans un verre déjà plein d'eau.

Il te faut :
un verre
un peu de colorant alimentaire
quelques pièces de monnaie

1. Emplis ton verre d'eau à ras bords avec de l'eau colorée par quelques gouttes de colorant alimentaire.
2. Commence à faire tomber des pièces doucement dans l'eau (le mieux est de poser les pièces sur le bord du verre et de les laisser glisser dans l'eau). Tu remarqueras que la surface de l'eau se gonfle au-dessus du verre. Combien de pièces peux-tu ajouter avant que l'eau ne déborde ?

Tout s'explique

Les molécules d'eau subissent une forte attraction les unes vers les autres. Les molécules qui sont à l'intérieur du verre sont entourées d'autres molécules et donc attirées dans toutes les directions. Mais les molécules qui sont à la surface, n'ayant pas d'eau au-dessus d'elles, sont alors fortement attirées par les molécules du dessous. Ces forces d'attraction sont suffisamment grandes pour empêcher l'eau de déborder, même quand le niveau de l'eau monte un peu au-dessus du bord du verre. À un moment donné, le niveau de l'eau au-dessus du verre devient toutefois trop élevé, la tension de la surface est trop grande et l'eau coule.

Mini-mystère

Que se passe-t-il quand tu ajoutes quelques gouttes de liquide à vaisselle dans l'eau du verre ? Est-ce que tu peux mettre davantage ou moins de pièces de monnaie ?

CASSE-TÊTE EN PAPIER

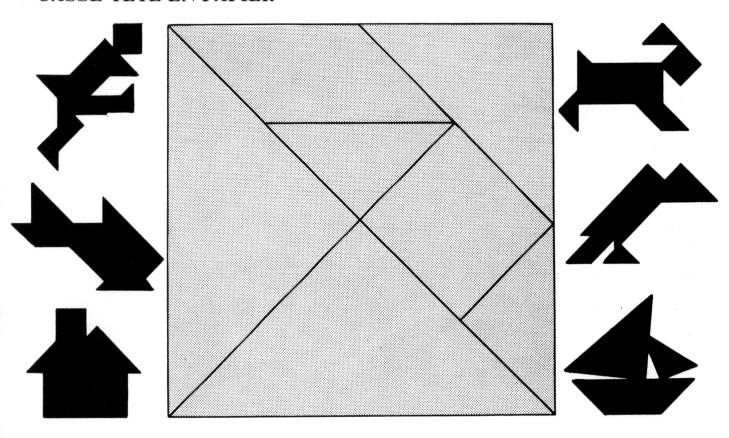

Voici deux casse-tête qui vont faire travailler tes méninges. Si tu es coincé, appelle tes amis et ta famille à la rescousse.

Il te faut :
du papier
un crayon
des ciseaux

Le tangram

Le tangram est un casse-tête captivant à base de formes géométriques. Voici comment le fabriquer.

1. Trace sur une feuille de papier le carré ci-dessus.
2. Découpe en suivant les lignes noires de manière à obtenir sept morceaux, ou « tans ».
3. Choisis une des silhouettes et essaie de la reproduire avec tous les morceaux. Tu sèches ? Persévère et fais encore quelques combinaisons avant de regarder la solution à la page 52. Une fois que tu auras réussi toutes les silhouettes proposées, amuse-toi à en créer d'autres avec les tans.

Un défi au cube de Rubic

Ce casse-tête est capable de rivaliser avec le cube de Rubic.

1. Les 12 formes illustrées sur la page suivante représentent toutes les combinaisons possibles de cinq carrés. Trace-les sur une feuille de papier et découpe-les.
2. Avec ces 12 formes, essaie de faire un rectangle de six carrés de haut sur 10 de long. Tu trouveras une solution à la page 52, mais il faut bien te dire que d'après un ordinateur il y en a 2338 autres. Si tu parviens à découvrir ces 2338 autres façons de faire, tu as peut-être ta place dans *Le livre des records Guinness.*

44

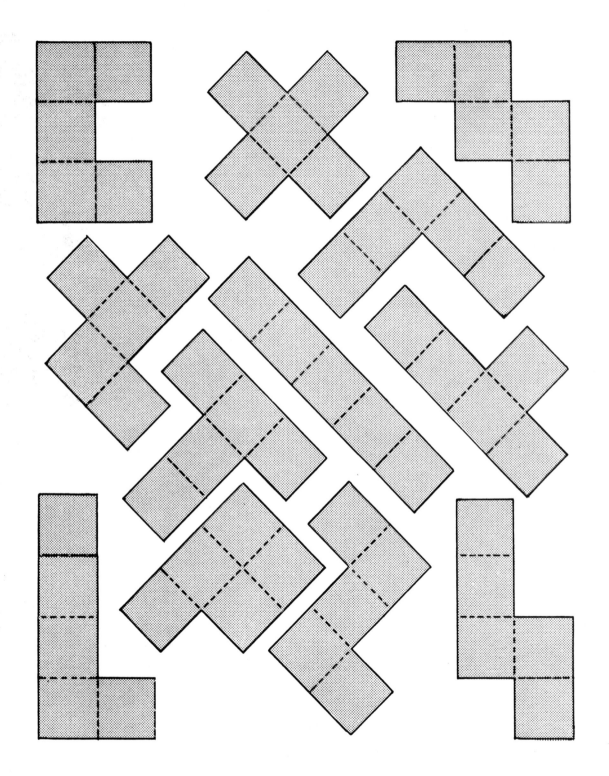

POURQUOI FLOTTENT LES ICEBERGS ?

Pourquoi les glaçons ne coulent-ils pas au fond du verre ? Eh bien, c'est parce qu'il se passe une chose étonnante quand l'eau gèle.

Il te faut :
un bocal en verre
de l'eau
un congélateur (celui du réfrigérateur fait
 parfaitement l'affaire)

1. Mets le bocal vide dans le congélateur. Pose-le debout, bien d'aplomb.
2. Emplis le bocal d'eau jusqu'au bord.
3. Ferme le congélateur et reviens dans trois heures pour voir ce qui est arrivé.

Que se passe-t-il ?
Presque tout ce qui existe sur terre se contracte ou rétrécit sous l'effet du gel. L'eau — ô surprise — fait exactement le contraire, elle se dilate. Quand l'eau gèle, ses minuscules molécules s'agencent de façon ordonnée pour former ce qu'on appelle un cristal. Ces molécules organisées occupent plus d'espace que les molécules disposées au hasard dans l'eau liquide.

 Cela explique un autre fait étonnant à propos de l'eau : à volume égal, l'eau gelée pèse moins que l'eau liquide. Voilà pourquoi les glaçons flottent dans un verre d'eau et les icebergs dans l'océan.

MINI-FILM

C omment bougent les films ? Ce jouet, appelé phénakisticope, va t'en révéler le mystère.

Il te faut :
un stylo et du papier
de la colle
un morceau de carton rigide
des ciseaux
de la ficelle

1. Trace des cercles sur le papier, tel qu'illustré, de même que les dessins correspondants. N'oublie pas de marquer les points (●) et les étoiles (*).
2. Découpe les deux cercles de papier et un cercle de carton de même dimension.
3. Colle un cercle de papier de chaque côté du disque de carton. Fais bien concorder les étoiles de part et d'autre.
4. Perce avec soin des petits trous à l'endroit des points et passe la ficelle au travers, tel qu'illustré.
5. Fais tournoyer le disque en faisant d'abord tournoyer la ficelle. Tout en faisant cela, observe l'oiseau et la cage. Comme par magie, l'oiseau aura l'air d'être dans la cage.

Tout s'explique

Tes yeux retiennent l'image de l'oiseau pendant une fraction de seconde après qu'elle a disparu. Entre temps, la cage est en vue et tu as l'impression de voir l'oiseau dedans. Il se passe la même chose au cinéma. Si tu regardes un morceau de pellicule de film, tu verras qu'elle se compose d'une série de photos séparées par des espaces noirs.

Quand la photo est projetée sur l'écran, tes yeux en retiennent l'image pendant une fraction de seconde, ce qui fait que tu ne vois pas les espaces sombres entre chaque image. C'est ce que l'on appelle la persistance de la vision. Quand une série d'images fixes d'objets mobiles est projetée devant tes yeux à grande vitesse, tu as l'impression d'un mouvement ininterrompu. Pour que ça fonctionne, il faut projeter 16 images au moins par seconde sur l'écran.

Quand tu vas au cinéma, tu vois 24 images projetées sur l'écran par seconde, espacées par des intervalles sombres de la même longueur. Donc, en fait, tu passes presque la moitié d'un film dans le noir !

QUI EST LE COUPABLE ?

s-tu déjà soupçonné quelqu'un d'être entré dans ta chambre sans ta permission ? Voici comment relever facilement les empreintes digitales du coupable.

Il te faut :
un tampon encreur
une feuille de papier blanc
du talc
un pinceau fin
du ruban adhésif transparent
du papier noir brillant (avec du papier bleu foncé, ça marche aussi, mais pas si bien)

1. Avant de soupçonner quelqu'un en particulier, il faut que tu aies les empreintes digitales de tous les suspects possibles. Demande à toutes ces personnes d'appuyer à tour de rôle leurs doigts sur le tampon encreur puis de les rouler sur la feuille de papier posée à plat sur une surface rigide. Pour obtenir une empreinte complète, il faut rouler le doigt, pas seulement l'appuyer.
2. Examine les empreintes. Tu sais peut-être déjà que tout le monde a des empreintes différentes, mais sais-tu si une même personne a des empreintes identiques sur ses dix doigts ?
3. Tu vas pouvoir comparer les empreintes digitales du suspect avec les empreintes digitales que tu vas relever dans ta chambre. Saupoudre légèrement de talc plusieurs surfaces rigides de ta chambre : le bureau, l'interrupteur, le bouton de la porte, etc.
4. Souffle doucement sur le talc pour en enlever la plus grosse partie et n'en laisser qu'aux endroits où la poudre adhère, là où il y a des empreintes ou d'autres marques grasses.
5. Pour faire apparaître les empreintes, brosse très légèrement les endroits talqués avec ton pinceau. Il va peut-être te falloir un peu de pratique pour faire apparaître les empreintes sans les abîmer.
6. Si tu veux examiner les empreintes ou les conserver, tu peux les relever en appuyant dessus un morceau de ruban adhésif. Quand tu l'enlèves, la poudre qui révèle les empreintes est collée dessus.

Colle le ruban sur le papier noir brillant; tu verras l'empreinte très nettement.

7. Compare maintenant les empreintes digitales de tes suspects avec celles que tu as relevées dans ta chambre. Si certaines concordent, c'est que tu ne vas pas tarder à mettre la main sur le coupable.

Les empreintes digitales, qu'est-ce que c'est ?

Si tu regardes ta peau à travers un microscope, tu vas voir qu'elle est couverte de minuscules trous qu'on appelle des pores. C'est à travers les pores que la graisse et la sueur atteignent la surface et s'évaporent. Cette sueur et cette graisse à la surface de tes doigts laissent des empreintes invisibles sur tout ce que tu touches. De la poudre fine colle aux légers dépôts de sueur des doigts et révèlent les empreintes des gens qui les ont laissées.

On utilise cette méthode pour trouver et relever les empreintes digitales depuis l'époque où Sir Francis Galton l'a mise au point, c'est-à-dire depuis le milieu des années 1800. Elle a toutefois des limites parce qu'on ne peut pas relever d'empreintes digitales avec de la poudre sur plusieurs sortes de matériaux, tels que le papier et les tissus. La police provinciale de l'Ontario a élaboré une méthode radicalement nouvelle au laser. Elle permet de révéler des empreintes digitales sur toutes sortes de matériaux, et même des empreintes vieilles de 10 ans.

LE NOEUD DE L'AFFAIRE

T'est-il déjà arrivé d'attacher ton chien à un poteau, d'entrer une minute dans un magasin, et de ne pas retrouver ton chien en sortant ? Ou encore de recevoir ta tente sur la tête au beau milieu de la nuit ?

Si tu as eu ce genre de problème, tu as besoin d'en apprendre davantage sur l'art de faire les noeuds. Alors, attelle-toi à l'attache... pardon, à la tâche.

Il te suffit de savoir que :
Il existe trois grandes catégories de noeuds :
les noeuds d'attache (pour attacher une corde à un objet)
les noeuds de jonction (pour attacher deux cordes ensemble)
les épissures (pour lier de façon permanente les extrémités de deux cordes, ou pour former une boucle avec une corde)
Voici quelques noeuds d'attache et noeuds de jonction qui te seront peut-être utiles.

Il te faut :
deux bouts de corde solide
un morceau de bois, ou un poteau, ou un dossier de chaise

Le noeud de chaise
Si tu veux un noeud digne de ce nom qui jamais ne se défait, en voici un. Avec un noeud pareil, tu pourrais même attacher un lion à un réverbère.

Le noeud plat
Il est bien possible que ce soit le premier que tu aies appris à faire, mais on ne l'utilise pas toujours de la bonne façon. Il est efficace pour lier les deux bouts d'une corde — pour faire des paquets, par exemple. Par contre, quand il s'agit des extrémités de deux cordes différentes, il se défait très facilement quand la tension n'est pas la même sur chaque extrémité. Même chose si on essaie de lier des cordes de grosseurs et de matières différentes.

Le noeud d'écoute
Un noeud en général utile pour lier ensemble les extrémités d'une corde. C'est le noeud idéal pour unir des cordes de grosseur différente.

NOEUD DE CHAISE

NOEUD PLAT

NOEUD D'ÉCOUTE

MUSIQUE POUR RIRE

 'es-tu déjà demandé comment se déplace le son ? Voici une belle expérience qui te permettra de voir le son en action.

Il te faut :
2 verres de tailles et de formes à peu près identiques
un crayon
un bout de fil de fer fin, assez long pour pouvoir le poser sur le bord du verre, tel qu'illustré

1. Emplis d'eau à moitié les deux verres.
2. Tape sur le premier verre avec le crayon. Tu vas entendre une note de musique. Fais-en autant sur le deuxième verre. Tu devras ajouter ou enlever de l'eau pour obtenir la même note.
3. Place les deux verres à environ 10 à 12 cm (4 à 5 pouces) l'un de l'autre et pose le fil de fer sur celui qui est le plus éloigné de toi.
4. Tape sur le verre qui est le plus près de toi. Regarde ! Le fil de fer se déplace doucement sur l'autre verre !

Tout s'explique

Quand tu tapes le premier verre avec le crayon, tu le fais vibrer. Les vibrations sont trop petites pour être vues, mais elles sont suffisamment fortes pour repousser l'air en créant des ondes, comme une pierre jetée dans l'eau produit des ondulations. Les ondes provoquent des vibrations similaires dans le deuxième verre et c'est ce qui fait bouger le fil de fer. Si tu continues à frapper le premier verre, le fil de fer va rouler jusqu'au bord du verre et finir par tomber.

Oyez ! Oyez !

Ton oreille capte les vibrations pratiquement de la même façon que le fil de fer. À l'intérieur de ton oreille, il y a une membrane sensible qui s'appelle le tympan. Le tympan vibre quand des ondes sonores l'atteignent. Les vibrations sont transmises à ton cerveau en passant par ton oreille moyenne et ton oreille interne. C'est là que les vibrations sont « traduites » en sons.

CASSE-TÊTE EN PAPIER : SOLUTIONS

52

POUR ÉCONOMISER L'ÉNERGIE

Économiser l'énergie, c'est une affaire de sens pratique, et c'est souvent aussi une bonne affaire. Avec les cinq prochaines expériences, tu ne feras peut-être pas fortune, mais tu auras sûrement de l'énergie à revendre.

FINIS LES COUVERCLES RÉCALCITRANTS !

T u sais ce qui arrive quand on essaie d'ouvrir un pot dont le couvercle est bien serré. On force, le pot passe de main en main jusqu'à ce que, finalement, quelqu'un réussisse à l'ouvrir. Si tu veux économiser de l'énergie (la tienne), contente-toi de maintenir le couvercle du pot sous l'eau chaude pendant une demi-minute. Puis, un petit tour de poignet. Et voilà : le couvercle s'enlève.

Tout s'explique

Beaucoup de choses se dilatent sous l'effet de la chaleur. Quand tu maintiens le couvercle du pot sous l'eau chaude du robinet, le couvercle chauffe et se dilate plus vite que le pot de verre qui est dessous, et il se dévisse plus facilement. Le métal est meilleur conducteur de la chaleur que le verre. Vérifie-le par toi-même en plaçant un verre à boire et une cuillère dans une casserole d'eau chaude, en laissant dépasser de la surface de l'eau le haut du verre et le manche de la cuillère. Une minute plus tard, touche-les pour voir lequel est le plus chaud.

   Non seulement le métal chauffe et se dilate plus vite que le verre, mais il se dilate aussi davantage que le verre.

LA RAMPE MAGIQUE

La prochaine fois que tu devras soulever quelque chose de lourd, sers-toi d'une rampe pour économiser tes forces. Voici comment une rampe peut te rendre ce service.

Il te faut :
un élastique fin
un caillou de la grosseur de ton poing
un bout de ficelle assez long pour pouvoir l'attacher autour du caillou
une règle
3 livres

1. Mets la ficelle autour du caillou et attache l'élastique à la ficelle de façon à pouvoir tirer le caillou avec.
2. Empile les livres l'un sur l'autre et incline la règle dessus, tel qu'illustré.
3. À l'aide de l'élastique, tire le caillou sur la règle. Observe la tension de l'élastique.
4. Enlève la règle et, à l'aide de l'élastique, soulève le caillou pour le poser sur les livres. Est-ce que cette fois l'élastique se tend davantage ?

Tout s'explique
Plus l'élastique se tend, plus tu utilises de force pour soulever le caillou du sol jusqu'au sommet de la pile de livres. Que tu te serves d'une rampe ou que tu soulèves directement le caillou, tu fais la même quantité de travail, mais la longueur d'étirement de l'élastique t'indique la différence de force requise pour effectuer ce travail. Sers-toi maintenant d'une règle d'une longueur différente en guise de rampe, pour voir. La longueur de la rampe doit dépendre de la taille et du poids de l'objet que tu veux déplacer.

POUR VIDER L'AQUARIUM SANS SE FATIGUER

our nettoyer ton aquarium, tu dois d'abord le vider. Si c'est un grand aquarium, cela représente un travail considérable. Pour faire ce travail — tout en économisant ton énergie — sers-toi d'un siphon

Il te faut :
2 verres
un livre épais
un tube en caoutchouc
une table

1. Emplis l'un des verres d'eau presque complètement et pose-le sur le livre.
2. Mets le verre vide sur la table, à côté du livre.
3. Emplis d'eau le tube en pinçant fortement les extrémités pour que l'eau ne s'écoule pas. (Sers-toi de pinces à linge si tu trouves que c'est difficile).
4. Plonge l'une des extrémités du tube dans le verre plein d'eau, et lâche-la. Assure-toi que l'extrémité reste bien dans l'eau.
5. Courbe le tube et mets l'autre extrémité dans le verre vide.
6. Lâche tout et regarde l'eau s'écouler toute seule.
7. Lève le verre de la table, en laissant toujours les

deux bouts du tube dans l'eau. Est-ce que l'eau cesse de s'écouler à un moment donné ? Que se passe-t-il quand tu lèves le verre de la table au-dessus du verre qui est sur le livre ?

Tout s'explique
C'est la gravité qui fait descendre l'eau dans le tube, en même temps que la pression de l'air pèse sur le liquide dans le verre surélevé. La gravité et la pression de l'air combinées font circuler l'eau dans le siphon. Quand l'eau est au même niveau dans les deux récipients, la gravité exerce la même force des deux côtés du tube et l'écoulement cesse.

Crois-tu que le siphon fonctionnerait si le tube n'était pas plein d'eau ? Fais-en l'expérience. Quand il y a de l'air dans le tube, l'eau ne peut pas s'élever dans la partie élevée du tube. Tu peux mettre en marche le siphon en plongeant une extrémité du tube dans le récipient avec de l'eau, puis en aspirant par l'autre bout jusqu'à ce que le tube soit presque plein d'eau. Enlève vite le tube de ta bouche et tiens-le en l'orientant vers le bas, au-dessous du niveau de l'eau qui est dans le récipient. L'eau continuera de s'écouler.

PÉDALER SANS FATIGUE

Est-ce que tu dépenses beaucoup d'énergie à bicyclette ? Si la réponse est oui, c'est que tes pneus ne sont pas assez gonflés. L'expérience suivante va t'aider à comprendre comment augmenter ta vitesse sans dépenser davantage d'énergie.

Il te faut :
une pompe à bicyclette
un peu de craie
une côte à descendre

1. Vérifie si tes pneus sont correctement gonflés (la pression est souvent indiquée sur le côté du pneu).
2. Amène ta bicyclette au sommet d'une côte, prends un petit peu d'élan — juste assez pour que la bicyclette commence à rouler — et descends la côte.
3. Une fois que ta bicyclette s'est arrêtée, marque le point d'arrêt avec la craie.
4. Remonte au sommet de la côte et dégonfle à moitié tes pneus.

5. Démarre en prenant un petit peu d'élan — autant que précédemment — et descends la côte. Crois-tu que tu vas aller aussi loin ?

Tout s'explique
Tous les objets (y compris tes pneus de bicyclette) opposent une résistance quand ils glissent, se déplacent ou roulent sur d'autres objets (la route); cette résistance s'appelle la **friction**. La friction augmente le contact entre les objets. C'est pourquoi moins un pneu est gonflé, plus il s'écrase sur le sol et plus la friction est grande entre le pneu et la route. Le pneu roule alors plus difficilement et la bicyclette descend la côte moins rapidement.

Une friction plus grande t'oblige aussi à pédaler plus fort. Si tu vérifies bien la pression de tes pneus, tu épargneras donc beaucoup d'énergie. Tu peux aussi épargner de l'essence en vérifiant la pression des pneus de la voiture de ta famille. La pression correcte assurant la sécurité et l'efficacité du véhicule est inscrite sur un autocollant qui se trouve en général sur la portière de la voiture, à l'intérieur.

UN PETIT DÉJEUNER ÉCONOMIQUE

Pour commencer la journée en économisant de l'énergie, le petit déjeuner est le moment idéal. Voici une expérience avec des oeufs qui permettra à ta famille d'épargner de l'énergie.

Il te faut :

2 casseroles à peu près de la même taille, avec un couvercle chacune
une montre ou un réveil
2 oeufs

1. Verse une même quantité d'eau dans les deux casseroles. Assure-toi qu'il y a assez d'eau pour recouvrir un oeuf.

2. Couvre une casserole avec un couvercle. Mets les casseroles sur des brûleurs de dimensions identiques et chauffe-les à la température la plus élevée.

3. Chronomètre le temps pour savoir dans quelle casserole l'eau va bouillir le plus vite la première. (Tu devras te fier à ton oreille en ce qui concerne la casserole couverte pour savoir à quel moment l'eau bout — si tu enlevais le couvercle, l'expérience serait ratée.) Combien de temps met l'eau de la deuxième casserole à bouillir ?

4. Quand l'eau bout dans les deux casseroles, mets dans chacune un oeuf et couvre-les. Laisse chauffer un brûleur à la température la plus élevée et baisse l'autre à feu doux.

5. Laisse cuire pendant trois minutes, puis retire les oeufs en même temps.

6. Casse les oeufs et regarde si l'un est plus cuit que l'autre. Tu n'as plus alors qu'à les manger.

Tout s'explique

Pourquoi l'eau de la casserole couverte bout-elle la première ? Les molécules de l'eau sont toujours en mouvement. Quand l'eau chauffe, les molécules bougent plus vite. Des molécules en frappent d'autres, ce qui les déplace et les fait se tamponner contre d'autres encore, et ainsi de suite jusqu'à ce que toutes les molécules courent dans tous les sens et que l'eau bouille. Au fur et à mesure que les molécules se déplacent plus vite, celles qui sont près de la surface s'échappent de l'eau. S'il n'y a pas de couvercle sur la casserole, ces molécules vont se disperser dans l'air et l'eau va perdre de son énergie. Par contre, si la casserole est couverte, ces molécules sont enfermées; elles continuent à bousculer les autres et l'eau atteint sont point d'ébullition plus rapidement. Les brûleurs de la cuisinière dépensent donc moins d'énergie.

Comment se fait-il que les deux oeufs aient cuit aussi rapidement l'un que l'autre, alors que l'un d'eux a été chauffé à une température plus élevée ? L'eau ne deviendra pas plus chaude si la température dépasse 100°C (212°F). À cette température, elle se transforme en gaz ou en vapeur d'eau. Que l'eau bouille à gros bouillons ou tout doucement, sa température est la même. La seule différence est que tu dépenses beaucoup d'énergie quand tu laisses l'eau bouillir fort. Bon petit déjeuner !

TOUS LES SENS EN ALERTE !

Tu n'as besoin que de tes sens pour les six prochains tours.

TES YEUX T'EN FONT VOIR

Voici deux illusions d'optique qui vont sûrement te faire tourner la tête.

Illusion 1
Les escaliers partent-ils du sol ou du plafond ? Tes yeux te jouent-ils des tours ? Non... c'est ton cerveau.

Tout s'explique
De la même façon que tu as dû apprendre à lire — pour comprendre tous ces signes sur le papier — tu as dû apprendre à voir. Une fois que ton cerveau a appris les « règles » du bien voir (par exemple, plus les choses sont éloignées, plus elles semblent petites), il applique ces règles pour interpréter tout ce que tu regardes. Mais quand un objet ou un dessin brise ces règles, ou quand il pourrait être interprété de plusieurs façons, ton cerveau peut te donner une interprétation fausse, ou confuse; c'est ce que l'on appelle une illusion d'optique.

Quand tu regardes l'escalier et que le mur du fond passe au premier plan, l'escalier semble descendre du plafond. Il y a, dans le dessin autant d'information pour une interprétation que pour l'autre, c'est pour

cela que ton cerveau ne peut déterminer laquelle est la bonne. Il passe tour à tour de l'une à l'autre.

Illusion 2
Tu peux faire tout seul l'expérience de l'illusion d'optique suivante.

Il te faut :
une feuille de papier rigide
une table

1. Plie le papier en deux. Marque bien la pliure en appuyant avec ton ongle sur toute sa longueur.
2. Pose le papier tel qu'illustré, couvre-toi un oeil et fixe la pliure. Alors ?

Tout s'explique
Comme tu as placé le papier sur un espace ouvert et que tu t'es couvert un oeil, il t'est plus difficile d'avoir une perspective correcte. Ton cerveau ne sait plus dans quel sens le papier est plié et il essaie différentes façons de voir.

DEUX YEUX VALENT MIEUX QU'UN

T'es-tu déjà demandé pourquoi tu avais besoin de deux yeux ? Cela t'aide, entre autres, à avoir de la perspective. Pour constater combien ta perspective est différente avec un seul oeil, fais l'expérience suivante avec un ami.

Il te faut :
une tasse
une pièce de monnaie

1. Mets la tasse sur la table et recule à une distance d'environ 3 m (9 pieds).
2. Couvre-toi un oeil. Demande à ton ami de tenir la pièce de monnaie à bout de bras au-dessus de la tasse, mais un peu en avant de celle-ci.
3. Ne regarde rien d'autre que la tasse et la pièce et dis à ton ami comment bouger son bras pour que la pièce tombe dans la tasse quand il la lâchera.
4. Demande-lui de lâcher la pièce et constate le résultat. Pourquoi vises-tu si mal ?

Tout s'explique

Comme tes yeux sont espacés l'un de l'autre, ils voient les choses sous un angle légèrement différent. Les images que reçoit ton cerveau à travers chaque oeil sont donc légèrement différentes les unes des autres. C'est en comparant ces images que ton cerveau peut te donner une vision en trois dimensions qui t'aide à apprécier les distances. C'est ce que l'on appelle une vision stéréoscopique. Quand tu te couvres un oeil, tu n'as plus de vision stéréoscopique et tu ne vois les choses qu'en deux dimensions, comme un photographe, et tu as plus de mal à apprécier les distances.

Heureusement, dans la vie réelle, il y a d'autres indications qui te permettent de juger de la perspective : la taille, le brillant et la position des choses par rapport à des objets familiers. Ce sont ces indications qu'utilisent les gens qui ne voient que d'un oeil. Tu peux perfectionner, toi aussi, la perception de la perspective avec un seul oeil. Répète plusieurs fois l'épreuve de la pièce de monnaie. Tu ne tarderas pas à la faire tomber sans difficulté dans la tasse.

L'ÉPREUVE DU GOÛT

Peux-tu faire la différence entre le goût d'un navet et celui d'une carotte, d'une pomme ou d'une pomme de terre ? Tu crois que oui ? Demande à une amie de faire avec toi cette épreuve de goût.

Il te faut :

des petits cubes de pomme, carotte, pomme de terre, navet et même d'oignon, crus et pelés (tous les cubes doivent être à peu près de la même grosseur).

une assiette, un bandeau

un crayon ou un stylo, et du papier

1. Étale les morceaux de fruits et de légumes sur l'assiette.
2. Bande les yeux de ton amie pour qu'elle ne puisse pas voir les légumes et les fruits, et dis-lui de se boucher le nez.
3. Demande-lui de goûter tous les légumes et les fruits un par un et de deviner ce qu'elle a mangé. Écris le nom réel du cube et la réponse de ton amie.
4. Après, ce sera ton tour de passer l'épreuve. À la fin, comparez vos scores. Il y a de grandes chances que vous n'ayez pas toujours deviné juste.

Tout s'explique

Pourquoi était-ce si difficile de faire la distinction entre des aliments de texture identique ? Le secret est dans ton nez ! Les papilles gustatives qui sont sur ta langue — ces bosses minuscules qui la couvrent — ne peuvent identifier que ce qui est sucré, acide, salé et amer. Le reste de l'information sur le goût d'un aliment provient de son odeur caractéristique. Donc, si tu ne peux pas sentir, tu ne peux pas goûter !

Maintenant, tu comprends pourquoi la nourriture n'a pas de goût quand tu es enrhumé et que tu as le nez bouché.

Tu as une langue formidable

Il y a sur ta langue différentes zones capables de reconnaître ce qui est sucré, acide, salé ou amer.

Les papilles gustatives qui déterminent ce qui est amer se trouvent à l'arrière de ta langue. Si tu as déjà goûté à du schweppes, par exemple, tu as remarqué qu'une saveur amère persistait à l'arrière de ta langue.

Tes papilles gustatives pour ce qui est acide se trouvent de chaque côté de ta langue, vers l'avant. Pense à un citron et tu vas sentir tes papilles agir comme si elles le goûtaient.

En arrière, sur les côtés, se trouvent les papilles qui reconnaissent ce qui est salé ; il y en a quelques-unes aussi sur le bout de la langue.

Curieusement, le sucré, l'un des goûts les plus appréciés, ne peut être détecté que par le bout de la langue.

FROID OU CHAUD ?

n bol d'eau peut-il être chaud et froid en même temps ? Pour le savoir, fais l'expérience suivante.

Il te faut :
3 bols

1. Verse de l'eau froide dans l'un des bols, de l'eau chaude dans un autre, et de l'eau tiède dans le dernier.
2. Trempe une main dans l'eau froide et l'autre main dans l'eau chaude pendant une ou deux minutes.
3. Mets tes deux mains ensemble dans le bol d'eau tiède. Une main va sentir que l'eau est chaude, et l'autre main que l'eau est froide, en même temps !

Tout s'explique
La main qui était dans l'eau froide sent que l'eau tiède est chaude; la main qui était dans l'eau chaude sent que l'eau tiède est froide. Tu viens d'expérimenter ce que l'on appelle l'adaptation sensorielle. Elle a lieu quand un de tes sens est exposé pendant un moment à la même sensation forte. Tes récepteurs sensoriels s'y habituent et cessent de recevoir des ordres de ton cerveau. C'est pour cela que la bonne odeur du repas qui est en train de cuire est si présente quand tu entres dans la maison, mais s'évanouit quand tu y restes quelques minutes. Ce n'est que lorsque la sensation change que tu la remarques à nouveau.

Tes récepteurs sensoriels peuvent parfois être trompés par de brusques changements et te donner une information fausse, comme dans le cas de cette expérience, où chaque main sent que la température de l'eau est à l'opposé de la température à laquelle elle était habituée.

DES SONS VISIBLES

Voici pour toi une occasion unique de voir un son.

Il te faut :
un ballon gonflable
des ciseaux
une boîte de jus d'orange ou de soupe en conserve,
   dont le couvercle et le fond ont été enlevés
des élastiques
du ruban adhésif
de la colle
un petit morceau de miroir d'environ 0,5 cm
   (1/2 pouce) de côté
une lampe de poche

1. Coupe l'embouchure du ballon et tends fortement
   la partie restante sur l'une des extrémités de la
   boîte. Maintiens le ballon en place avec un
   élastique et colle le pourtour du ballon à la boîte
   avec du ruban adhésif pour l'empêcher de glisser.
2. Colle le morceau de miroir (face à l'extérieur) sur
   le ballon tendu, environ à 1/3 du bord de la boîte.
3. Braque de côté sur le miroir la lumière de la lampe
   de poche, de manière que le miroir réfléchisse une
   tache lumineuse sur le mur. Si tu n'as pas de mur
   uni où diriger la tache lumineuse, sers-toi d'un
   morceau de carton blanc en guise d'écran.
4. Tiens la boîte sans bouger (ou pose-la sur la table
   et attache-la pour qu'elle ne roule pas) et chante
   ou crie dans la partie ouverte de la boîte. Regarde
   la tache lumineuse sur le mur. Pourquoi vibre-t-
   elle si vite ?

Tout s'explique
Le son se compose de vibrations. Quand tu chantes
ou cries, l'air qui sort de tes poumons passe à travers
tes cordes vocales et les fait vibrer, produisant ainsi
des ondes de propagation qui circulent dans l'air,
comme les ondulations sur l'eau. Quand ces ondes
touchent le ballon tendu, elles le font vibrer. C'est ce
qui fait vibrer à leur tour le miroir et la lumière que
le miroir réfléchit.

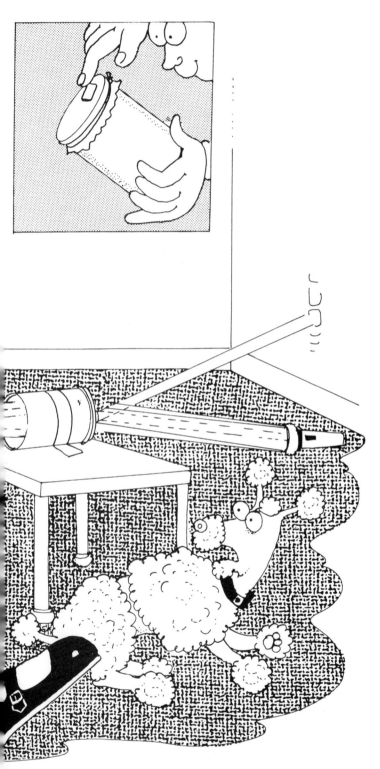

Le tympan de ton oreille est une membrane tendue très semblable au ballon. Quand des ondes de propagation frappent le tympan, il vibre et ton cerveau traduit ces vibrations en sons.

La voix humaine et la voix enregistrée
Tu te rappelles ta surprise en entendant pour la première fois ta voix sur un magnétophone ? Pourquoi était-elle si différente ? Quand tu entends ta voix au magnétophone, elle te provient après que les ondes sonores ont traversé l'air. Mais toi, tu as l'habitude d'entendre ta voix à travers les os de ton crâne, et elle résonne différemment. Ta voix au magnétophone ressemble en fait davantage à la voix que les autres entendent quand tu parles.

Entendre avec les dents
Tu vas découvrir combien tes os sont de bons « conducteurs du son ».

Il te faut :
une fourchette
une cuillère

Frappe les dents de la fourchette avec la cuillère et écoute les notes produites par les vibrations de la fourchette. Dès que les sons faiblissent, mets le bout du manche de la fourchette entre tes dents et mords-le fermement.

ZONES CHAUDES ET ZONES FROIDES

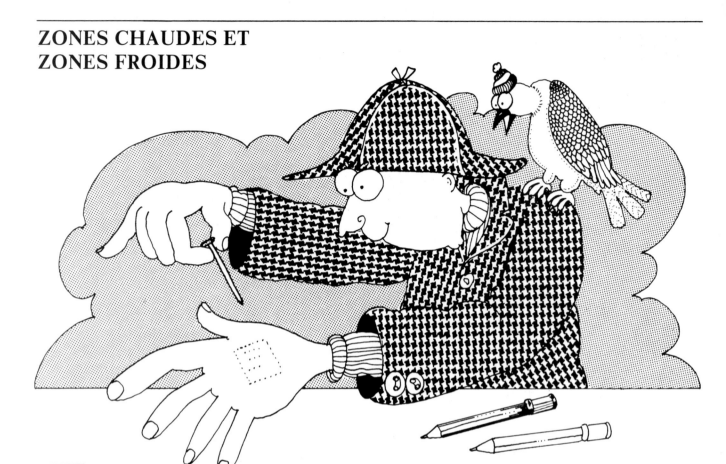

Savais-tu que tu pouvais tracer sur toi une carte des points chauds et froids de ton corps ?

Il te faut :
2 feutres à pointe fine de couleurs différentes
un bol
un clou

1. Trace avec l'un des feutres un carré d'environ 2 cm (1 pouce) de côté sur le dos de ta main.
2. Emplis le bol d'eau froide et laisse le clou dedans jusqu'à ce qu'il soit froid au toucher.
3. Touche de la pointe du clou n'importe quel endroit à l'intérieur du carré. Si c'est froid, marque l'emplacement avec l'un des feutres. Essaie d'autres endroits à l'intérieur du carré et marque ceux qui sont froids avec le même feutre. Tu devras peut-être remettre le clou dans l'eau pour qu'il reste froid.
4. Quand tu as terminé tes essais pour découvrir les emplacements froids sur toute la surface du carré, chauffe le clou dans de l'eau chaude et, avec l'autre couleur, marque les emplacements où tu ressens de la chaleur. Sens-tu quelque chose quand tu touches un emplacement froid avec le clou chaud ? Quand tu as fini de marquer tous les emplacements chauds et froids dans le carré, observe la carte que tu as tracée. Y a-t-il plus de points chauds ou plus de points froids ?

Tout s'explique
Des scientifiques ont découvert qu'il y a sur notre corps des zones particulières qu'on appelle des récepteurs, et qui ressentent des températures plus élevées ou plus basses que la température du corps. Les points de deux couleurs différentes qui sont sur ta main te donnent une carte de tes récepteurs personnels de chaleur et de froid. D'autres parties du corps te donneront des cartes différentes. Trace des petites cartes carrées sur ton front, tes doigts, ton menton, la paume de ta main, ton avant-bras et ta plante de pied. Qui sait ? Tu arriveras peut-être à découvrir le meilleur moyen de faire une boule de neige sans avoir froid aux doigts.

DES IDÉES GÉNIALES

Et si on se faisait une réserve d'encre sympathique, ou si on barattait du beurre, ou si... Lis vite les 15 idées géniales qui suivent.

FAIRE DU BEURRE

Tu aimes étaler des petits morceaux de beurre sur ton pain ? Si oui, grâce à l'expérience suivante, tu vas pouvoir te faire de bons sandwiches.

Il te faut :
300 ml (1 demiard) de crème à fouetter
un petit pot de verre muni d'un couvercle qui ferme bien

1. Sors la crème du réfrigérateur et laisse-la dehors environ 10 minutes pour qu'elle se réchauffe un peu.
2. Emplis 1/3 du pot de crème.
3. Visse le couvercle. Assure-toi que la crème ne peut s'échapper du pot.
4. Prends le pot dans une main et secoue-le en faisant des huit. (Il faudra le remuer pendant environ 20 minutes, alors ce serait peut-être une bonne idée d'avoir quelqu'un pour te remplacer au cas où tu te fatiguerais).
5. Regarde comme la crème change de consistance. Elle va commencer à mousser et ressembler à de la crème fouettée; puis, au bout d'un moment, de tout petits grains de beurre vont se former.
6. Quand les grains ont la grosseur de pépins de pomme, arrête de secouer.
7. Fais s'écouler avec précaution le liquide — c'est du babeurre et c'est très bon à boire.
8. Lave les grains à l'eau froide pour les débarrasser du restant de babeurre.
9. Mets les grains sur un plat en plastique ou en bois et tasse-les avec une cuillère de bois. Si tu aimes le beurre salé, ajoute un peu de sel et fais-le pénétrer dans le beurre à l'aide de ta cuillère de bois. Répartis bien le sel de façon homogène.
10. Donne à ton beurre la forme que tu veux, puis mets-le dans le réfrigérateur pour qu'il durcisse.

Tout s'explique
La crème se compose de minuscules gouttes de graisse qui flottent de façon permanente dans l'eau. Si une quantité suffisante de ces gouttelettes sont rassemblées, elles forment des granules de beurre et se séparent de l'eau. On dit qu'elles fusionnent.

Un beau jaune
Tu remarqueras peut-être que ton beurre est plus foncé ou plus clair que celui que tu vas chercher d'habitude au magasin. La couleur du beurre dépend de la race de la vache qui donne le lait et de ce qu'elle mange. Quand les gens achètent du beurre, ils veulent qu'il ait une belle couleur dorée uniforme; alors, dans les laiteries, on le teinte généralement avec du colorant alimentaire.

FAIRE DES CRISTAUX DE SUCRE

T'es-tu déjà demandé ce que devenait le sucre que l'on met dans le thé ? Il ne disparaît pas. Cette expérience va te le prouver et te montrer comment récupérer sous la forme de jolis cristaux le sucre d'une boisson chaude.

Il te faut :
une petite casserole
250 mL (1 tasse) d'eau
375 mL (1½ tasse) de sucre, ou plus
un verre à boire
un grand crayon
un bout de fil de coton

1. Fais bouillir de l'eau dans la casserole, éteins la cuisinière, verse le sucre dans l'eau et remue. Si tout le sucre se dissout, ajoutes-en un peu et remue jusqu'à ce que tu voies que le sucre ne se dissout plus.
2. Quand la solution a refroidi, verse-la dans le verre à boire.
3. Frotte un peu de sucre sur le fil pour que quelques cristaux s'y collent.
4. Attache une extrémité du fil autour du crayon et laisse tomber l'autre extrémité dans la solution. Pose le crayon sur le verre.
5. Pose le verre dans un endroit frais et où personne ne pourra le toucher. (Tu ne dois surtout pas le toucher ni le soulever par la suite !)
6. Laisse-le là quelques jours et observe ce qui se produit.
7. Mange le résultat.

Tout s'explique

Pour comprendre comment tu as fait réapparaître le sucre, tu dois savoir ce qui arrive quand le sucre se dissout. Le sucre ne disparaît pas vraiment, bien sûr. Il se divise en morceaux de plus en plus petits jusqu'à ce que tu ne puisses plus le distinguer.

Si tu regardes un morceau de sucre à travers une loupe, tu vas voir qu'il est fait d'une foule de petits cristaux. Ces cristaux, à leur tour, se composent de particules plus petites que l'on appelle des molécules. C'est la forme la plus petite sous laquelle le sucre puisse exister. Ces molécules sont si minuscules que tu ne peux même pas les voir avec le microscope le plus puissant.

Quand tu mets du sucre dans l'eau, les molécules du sucre se séparent du cristal. Tu obtiens ainsi une solution sucrée. La quantité de sucre que peut contenir l'eau dépend de la température de cette eau. L'eau chaude peut contenir plus de sucre que l'eau froide.

Quand la solution refroidit, elle devient supersaturée. Tout le sucre de la solution ne peut rester dissous et une partie du sucre commence alors à sortir de la solution et à s'unir aux cristaux de sucre qui sont sur le fil. Quelques jours plus tard, tes cristaux devraient être très gros — assez gros pour être mangés ! Dans cette expérience, tu as inversé un processus. Tu as retransformé en cristaux les molécules d'une solution sucrée.

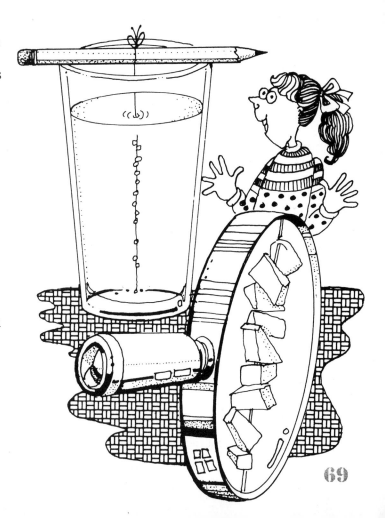

CONSTRUIRE UNE MAISON

T u as déjà vu construire une maison ? Sous les briques ou autres matériaux, il y a une charpente de poutres de bois — c'est le squelette de la maison. Cette charpente donne à la construction sa solidité. Ce n'est pas difficile de construire une charpente qui pourrait soutenir une maison. Mets tes aptitudes de constructeur à l'épreuve en confectionnant des poutres avec du papier journal.

Il te faut :
des feuilles de papier journal (assure-toi que tout le monde les a lues avant !)
des cure-dents
du ruban adhésif

1. Pose à plat par terre une feuille de papier journal. Mets un cure-dent en travers d'un coin de la feuille et roule toute la feuille de papier journal bien serrée autour du cure-dent. Colle-la avec du ruban adhésif. Si tu as roulé la feuille assez serrée, tu vas avoir une longue cheville en papier journal, solide et très difficile à plier. (Si tu veux la raccourcir, coupe les bouts).

2. Recommence le même processus pour avoir un tas de poutres en papier journal.

3. Quand tu es prêt à construire, attache les poutres ensemble avec du ruban adhésif. Commence par tracer la base de ton édifice par terre, avec des poutres. Ensuite, bâtis en hauteur.

4. Au fur et à mesure que ton édifice s'élèvera, tu devras peut-être consolider ta charpente avec des poutres en diagonale.

5. Fais une construction aussi haute que possible. Peux-tu arriver jusqu'au plafond ?

SUPER-STRUCTURES

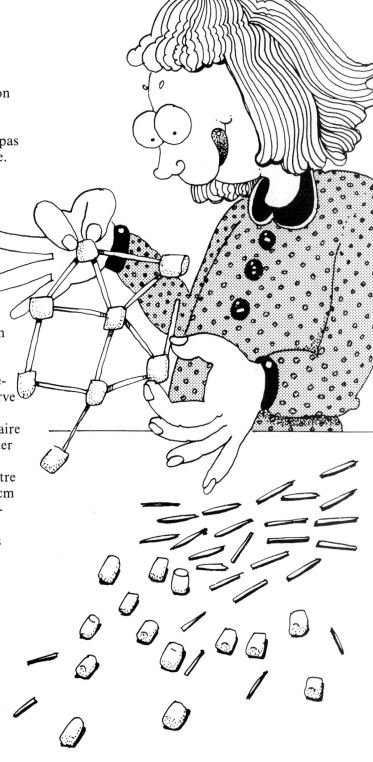

L a prochaine fois que tu verras une maison ou une tour en construction, observe la forme de la charpente. Certaines charpentes sont plus solides que d'autres. Tu n'as pas besoin de poutres d'acier pour en faire l'expérience. Tu trouveras dans la cuisine les matériaux de construction nécessaires.

Il te faut :
une boîte de cure-dents
des petites guimauves (ou de la pâte à modeler)
un livre à couverture rigide
2 chaises
5 pièces de 25 cents dans une tasse de carton

1. Avec 15 cure-dents en guise de poutres et 9 guimauves (ou 9 boulettes de pâte à modeler) en guise de colle, essaie de construire une grande structure.
2. Recommence, mais avec 15 guimauves et 9 cure-dents. Quelle structure est la plus solide ? Observe bien et vois si elle comporte plus de triangles.
3. Avec 14 guimauves et 20 cure-dents, essaie de faire une structure suffisamment solide pour supporter le livre.
4. Épreuve finale : essaie de construire un pont entre les deux chaises séparées l'une de l'autre de 30 cm (1 pied). Utilise autant de guimauves et de cure-dents que le pont l'exige. Quand tu auras fini, vérifie si le pont peut supporter la tasse avec les pièces de 25 cents.

Note : Si tu veux fabriquer des structures plus grosses, plus solides et plus durables, utilise de la colle à la place des guimauves.

RÉINVENTER L'APPAREIL-PHOTO

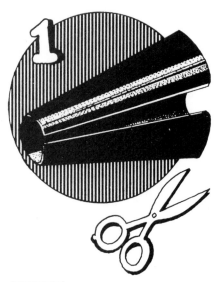

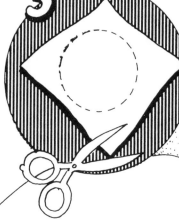

Si tu fais l'obscurité dans une pièce et que tu perces un petit trou dans le mur qui donne à l'extérieur, la lumière qui va traverser ce trou par un jour ensoleillé va former une image renversée floue sur le mur opposé. Si tu fixes une feuille de papier photographique sur ce mur, tu vas obtenir une photographie de la scène qui est à l'extérieur.

Ça semble peut-être un peu tiré par les cheveux, mais c'est à peu près ainsi pourtant que la première photographie a été réalisée en 1826 par un physicien français, Nicéphore Niepce, qui s'est servi d'un dispositif appelé *camera obscura,* ce qui veut dire « chambre obscure ».

Voici comment confectionner une version miniature de la chambre obscure.

Il te faut :
du papier de construction noir
du papier paraffiné ou du papier-calque
une boîte vide de jus d'orange congelé
du ruban adhésif

1. Roule le papier de construction en forme de cône et coupe légèrement le bout le plus large de manière qu'il s'adapte exactement à l'ouverture de la boîte.
2. Colle le cône avec du ruban adhésif, ou de la colle, pour le maintenir en forme.

3. Dans le papier paraffiné ou le papier-calque, découpe un cercle de même diamètre que l'ouverture la plus évasée du cône en papier.
4. Colle ton cercle sur l'ouverture la plus évasée du cône. Cela te servira d'écran.
5. Perce un trou de la grosseur d'une épingle dans le fond de la boîte et glisse le cône en papier dans la boîte.
6. Oriente le trou d'épingle vers une scène éclairée ou ensoleillée et regarde à travers le cône. Tu vas voir une image projetée à l'envers sur l'écran.
7. Enfonce le cône dans la boîte puis tire-le à nouveau vers le haut de la boîte : l'image va rapetisser puis s'agrandir tour à tour.
8. Perce quelques autres trous dans la boîte. Combien d'images peux-tu voir dans ton appareil-photo ?

Pourquoi l'image est-elle toujours à l'envers ?
La lumière se déplace en général en ligne droite. Si tu fais passer la lumière de ta lampe de poche à travers un trou, en l'orientant de plusieurs façons, tu constateras que lorsque la lumière vient du bas, elle frappe une surface élevée de l'autre côté du trou; si elle vient du haut, elle frappera une surface basse de l'autre côté du trou. Quand tu vois une image à travers l'ouverture du diaphragme (le trou) de l'appareil-photo, la lumière que réfléchit la partie supérieure de l'objet que tu regardes frappe la partie inférieure de ton écran à l'intérieur de l'appareil-photo. La lumière que réfléchit la partie inférieure de l'objet frappe la partie supérieure de l'écran. C'est ce qui explique pourquoi l'image est à l'envers.

VOIR SANS ÊTRE VU

Voici un moyen de voir par-dessus les têtes dans une foule. Il te suffit de diriger la lumière. Tu crois que c'est bon pour Superman ? Tu peux y arriver avec ce périscope.

Il te faut :
des ciseaux
une boîte de lait en carton, vide et propre
deux petits miroirs de poche
du ruban adhésif

1. Découpe un trou sur le côté de la boîte, près du haut, et un autre identique sur le côté opposé et à égale distance du bas de la boîte.
2. Colle les deux miroirs à l'intérieur de la boîte, se faisant face l'un à l'autre, tel qu'illustré. Il faut qu'ils soient bien parallèles et forment avec la boîte un angle de 45°.
3. Quand les miroirs sont bien fixés, ferme la boîte avec du ruban adhésif.

4. Va te placer derrière un mur avec ton périscope. Tiens-le de façon qu'un trou seulement dépasse. Regarde à travers l'autre trou. Voilà, tu peux voir sans être vu.

Tout s'explique

Un miroir réfléchit toujours la lumière selon l'angle à partir duquel la lumière le frappe. Dans ce cas-ci, comme la lumière frappe le miroir selon un angle de 45°, le miroir va la réfléchir selon un angle de 45°. La lumière décrit donc un angle de 90° qui lui permet de contourner le mur. Tu peux le vérifier en faisant passer la lumière d'une lampe de poche à travers le trou par lequel tu regardais. Si tes miroirs sont orientés selon l'angle convenu, la lumière va ressortir par l'autre trou. De la même façon, la lumière que réfléchit un objet que tu regardes va frapper les deux miroirs pour tout révéler à ton oeil d'espion.

L'ENCRE SYMPATHIQUE

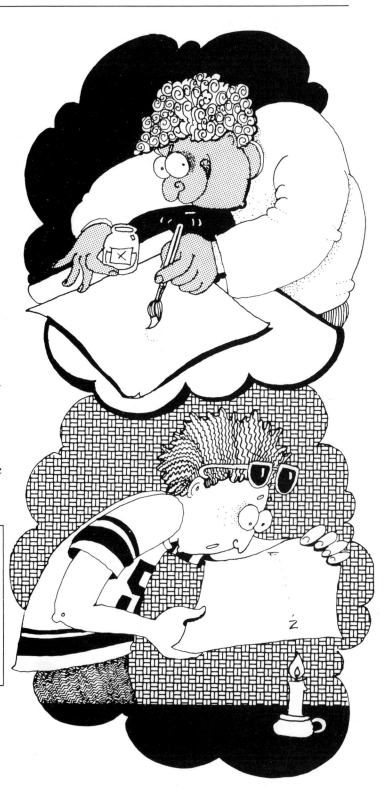

V oici comment écrire des messages secrets, tellement secrets qu'ils sont invisibles.

Il te faut :
du vinaigre ou du jus de citron en guise d'encre
un cure-dent ou un pinceau pour écrire
une feuille de papier
une bougie dans un bougeoir

1. Trempe le cure-dent ou le pinceau dans ton encre sympathique et écris un message sur la feuille de papier. Quand le message sera sec, le papier aura l'air vierge.
2. Pour lire le message secret, passe et repasse le papier au-dessus de la flamme de la bougie. Demande à tes parents de t'aider à le faire et prends bien garde de ne pas mettre le feu au papier. Peu à peu, ce que tu as écrit va apparaître.

Tout s'explique

C'est la chaleur de la flamme qui entraîne une transformation chimique de l'encre séchée. La portion de papier qui a absorbé le vinaigre ou le jus de citron carbonise à une température plus basse que le reste du papier. Le papier qui roussit devient légèrement brun et le message est révélé.

Conseils utiles

1. Si tu te sers d'un cure-dent en guise de crayon, c'est le bout arrondi qu'il faut utiliser pour écrire sans rayer ni déchirer le papier.
2. N'appuie pas trop fort en écrivant ton message, sinon tu vas faire des traces que l'on pourra déchiffrer sans même avoir besoin de passer le papier au-dessus de la flamme.

DES AVIONS RENVERSANTS

atigué de ces avions en papier toujours pareils ? Essaie donc ces deux prodiges volants qui sortent de l'ordinaire.

Un avion avec une paille

Il te faut :

une bande de papier de 1,5 cm x 9 cm
  (1/2 pouce x 3½ pouces) de long
une bande de papier de 2 cm x 12 cm
  (3/4 pouce x 4¾ pouces) de long
une paille en plastique
du ruban adhésif

1. Fais deux cercles avec les bandes de papier en superposant les extrémités que tu colles avec du ruban adhésif à l'intérieur et à l'extérieur du cercle. Les extrémités superposées vont former une petite poche dans laquelle tu peux glisser la paille.
2. Mets un cercle à chacune des extrémités de la paille en introduisant celle-ci dans les poches que tu viens de faire.
3. Déplace les cercles le long de la paille. Essaie ton avion avec un cercle à chaque extrémité, puis avec les deux cercles au centre de la paille.

Tout s'explique

Les avions en papier — et même l'engin bizarre que tu viens de fabriquer — volent selon les mêmes principes que les vrais avions. Quand ils se déplacent, la forme et l'angle de leurs ailes obligent l'air à passer plus vite au-dessus de l'aile qu'au-dessous. Cela diminue la pression de l'air au-dessus de l'aile et l'augmente au-dessous. L'avion se maintient dans les airs grâce à cette différence de pression.

Un vrai avion doit prendre de la vitesse sur la piste pour que l'air se déplace suffisamment vite à la hauteur de ses ailes, et pour créer une différence de pression suffisante afin de pouvoir s'élever. L'avion doit ensuite voler à une vitesse minimum dans les airs. L'hélicoptère, lui, ne bouge que les ailes — la voilure tournante. Elle brasse l'air à une vitesse qui lui permet de s'élever du sol ou de ralentir sa descente.

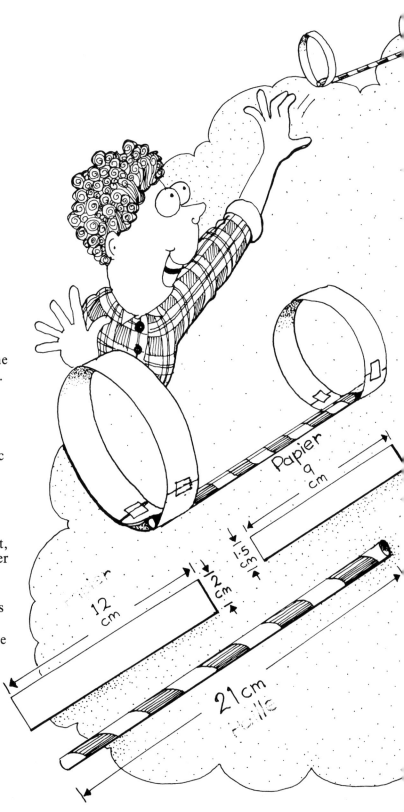

Voici un autre avion en papier qui fonctionne un peu comme un hélicoptère.

L'héli-papier
Il te faut :
un morceau de papier de 25 cm x 5 cm
   (10 pouces x 2 pouces)
un trombone

1. Suis le modèle illustré. Coupe en suivant les lignes pleines et plie selon les lignes en pointillé.
2. Plie A sur C, et B en arrière. Plie C vers l'intérieur et plie D par-dessus C. Quand C et D sont pliés, replie leur extrémité à E.
3. Tiens ton héli-papier au-dessus de ta tête, E orienté vers le bas, et lâche-le.
4. Essaie de le lancer du plus haut que tu peux.
5. Mets le trombone sur E, à l'endroit où le papier est replié, et observe si le vol est modifié.

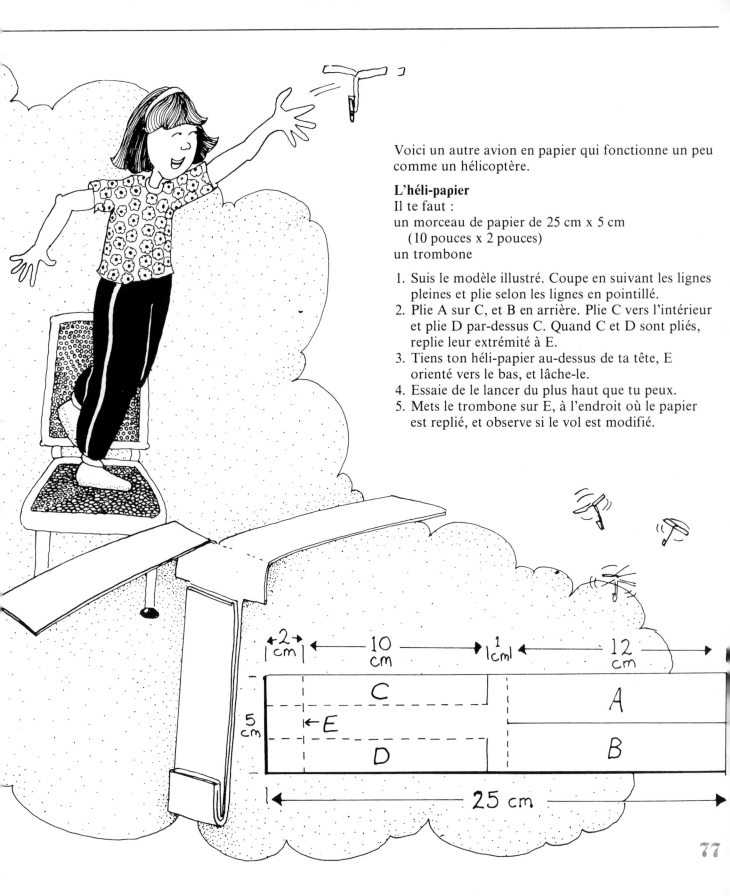

EXPÉRIENCE GROSSISSANTE

PLASTIQUE TRANSPARENT
FICELLE
EAU
TROU
VIEUX SEAU

Certaines choses sont trop petites pour être visibles à l'oeil nu, même si on les regarde de très près. On a donc inventé les verres grossissants et les microscopes — à travers eux, les choses apparaissent plus grosses. Fabrique ton propre microscope et observe ce qui est caché à ta vue.

Il te faut :
des ciseaux
un vieux seau en plastique
du papier d'emballage plastique transparent
de l'eau
de la ficelle, du ruban adhésif, ou un gros élastique

1. Découpe deux ou trois trous de la grosseur de ton poing dans la paroi du seau, près du fond.
2. Tends de façon lâche l'emballage plastique sur le seau et fixe-le solidement autour du seau avec la ficelle, le ruban adhésif ou l'élastique (ou les trois à la fois).
3. Emplis d'eau le creux de l'emballage plastique.
4. Installe-toi dans une pièce bien éclairée et introduis par l'un des trous l'objet que tu veux observer.
5. Regarde dans le seau à travers l'eau. Approche l'objet de toi puis éloigne-le pour trouver le point où l'objet apparaît le plus gros. Cherche ensuite le point où l'objet se distingue le plus nettement. Est-ce que c'est le même point que précédemment ?

6. Essaie de déchiffrer les initiales du dessinateur du côté pile d'une pièce de 1 cent, 5 cents et 25 cents. (Voici un truc pour t'aider à les trouver sur les pièces de 25 cents : regarde près du bord, juste en face de la poitrine du caribou).

Tout s'explique

Une lentille réfracte la lumière à la fois quand la lumière la pénètre et quand elle en sort. La matière dont la lentille est faite détermine l'angle de réfraction. Toi, tu as fait une lentille d'eau. La lumière réfractée qui se disperse à partir de l'objet que tu observes frappe la lentille puis est réfractée dans ton oeil (regarde le croquis). Ton oeil voit la lumière comme si elle venait en droite ligne de l'objet (lignes en pointillé sur le croquis); tu vois, en toute commodité, l'objet beaucoup plus gros qu'il n'est en réalité.

D'autres façons de voir
Quand les scientifiques veulent voir des choses minuscules comme les microbes, ils se servent de microscopes lumineux qui ont des lentilles de forme spéciale et dont la surface est très polie. Ils utilisent aussi des microscopes électroniques qui envoient des faisceaux d'électrons à travers les objets pour produire des images de choses presque aussi petites que des atomes.

UN DÉTECTEUR
DE COURANTS D'AIR

Veux-tu pister les courants d'air ? Dans la plupart des édifices, l'air s'infiltre à travers des trous et des fissures minuscules qui sont difficiles à trouver. À toi de traquer ces courants d'air qui te font froid dans le dos quand tu t'allonges par terre. C'est possible ! Tu as seulement besoin d'un détecteur de courants d'air.

Il te faut :
des ciseaux
une bande de mouchoir en papier ou de tissu
du ruban adhésif
un grand crayon

1. Colle un bord du papier ou du tissu le long du crayon.
2. Souffle doucement sur le papier ou sur le tissu pour t'assurer qu'il est bien collé. Regarde comme il bouge au contact du souffle !
3. Approche ton détecteur du cadre des fenêtres ou des portes de ta maison. (Si ta maison est chauffée avec un système à air forcé, attends que le ventilateur soit arrêté pour utiliser ton détecteur).
4. S'il y a un foyer chez toi, tiens ton détecteur en face de lui et observe ce qui arrive selon que le registre est ouvert ou fermé.
   Une fois que tu auras détecté tous les courants d'air de la maison, ce sera un jeu d'enfant pour le bricoleur de la famille de les colmater.

Pourquoi y a-t-il des courants d'air ?
L'air s'infiltre dans ta maison par des fissures. En hiver, l'air froid pénètre à l'intérieur par ces fissures, et l'air chaud s'échappe par là aussi. En conséquence, la température baisse et il y a gaspillage d'énergie. En été, l'air frais à l'intérieur de la maison sort à travers ces mêmes fissures et la chaleur de l'été entre à flots.

L'air froid est plus dense que l'air chaud; il tend à tomber — c'est pour cela que tu sens des courants d'air froid au niveau du sol. L'air chaud vient prendre la place de l'air froid qui tombe. Quand tu ouvres la porte du réfrigérateur, non seulement tu laisses s'échapper cet air froid bénéfique qui est à l'intérieur, mais en plus l'air chaud s'engouffre et le réfrigérateur devra travailler davantage pour le refroidir.

Tire cela au clair
Entrouvre la porte du réfrigérateur et tiens ton détecteur en bas, en face de l'ouverture. Ferme la porte et recommence mais en tenant cette fois ton détecteur en haut de la porte. De quel côté est-il poussé ?

IMAGES MAGNÉTIQUES

T u as déjà fait de la peinture et dessiné avec des crayons de couleur, mais as-tu déjà fait des dessins avec des morceaux de métal ? Voici une façon amusante de réaliser facilement des tableaux que tu pourras accrocher dans ta chambre.

Il te faut :
deux aimants
de la laine d'acier fine
du papier rigide ou du carton léger (les fiches
    sont idéales)
de vieux ciseaux
de la laque en aérosol ou un fixatif plastique
    en aérosol
des objects métalliques : des trombones, des clous,
    etc.

1. Coupe la laine d'acier en petits morceaux avec les ciseaux.
2. Mets l'aimant sur une table et pose dessus la feuille de papier.
3. Répands généreusement la limaille de la laine d'acier sur le papier. Tu vas voir la limaille se distribuer pour former un motif.
4. Tapote doucement le papier pour modifier le motif, ou bien déplace le papier sur l'aimant jusqu'à ce que tu obtiennes un motif qui te plaise.
5. Si tu as deux aimants, mets-les tous les deux sous la feuille de papier. Regarde ce que devient le motif quand tu déplaces les aimants. Essaie en mettant les aimants bout à bout, tête-bêche, et tête contre tête pour voir ce que tu peux créer.
6. Si tu as d'autres objets métalliques à portée de la main, mets-les sous le papier pour voir comment ils modifient les motifs en limaille de fer. Touche les aimants avec ces objets pour voir si tu peux les magnétiser et faire ainsi des dessins encore plus spectaculaires.
7. Quant tu auras fini tes tableaux métalliques, recouvre ton aimant d'une feuille de papier et passe-le au-dessus de ta surface de travail pour recueillir toute la limaille qui est tombée ou qui s'est éparpillée.

8. Si tu veux conserver un de tes tableaux métalliques, projette dessus plusieurs couches de laque ou de fixatif plastique transparent en laissant l'aimant en place. Laisse sécher entre chaque couche.

Tout s'explique

Quand tu as répandu de la limaille sur le papier au-dessus de l'aimant, tu as dû remarquer qu'elle formait un motif. Et quand tu as légèrement tapoté le papier, les bouts de limaille ont formé des lignes encore plus nettes.

Ces lignes indiquent les champs de force provenant de l'aimant. Quand tu as fait bouger le papier sur l'aimant, la limaille s'est déplacée pour suivre ces champs de force.

Si tu as joué avec des aimants auparavant, tu sais déjà qu'ils ont deux pôles, que l'on appelle en général le pôle nord et le pôle sud. Si tu mets le pôle nord d'un aimant près du pôle sud d'un autre aimant, ils s'attirent l'un l'autre. Mais si tu mets les deux pôles nord ou les deux pôles sud l'un contre l'autre, ils se repoussent. Tu peux constater cette différence avec tes dessins magnétiques.

En touchant d'autres objets métalliques avec l'aimant, tu as peut-être découvert que certains deviennent magnétiques à leur tour tant qu'ils sont en contact avec l'aimant. Certains sont peut-être restés magnétisés, même une fois séparés de l'aimant. Tu peux le vérifier en mettant ces objets métalliques séparés les uns des autres sous une feuille de papier couverte de limaille de fer.

ARTISTE INSTANTANÉ

Aimerais-tu reproduire une de tes images ou une de tes photographies préférées ? Tu voudrais la faire plus grande ou plus petite que l'original ? Voici une idée lumineuse pour y parvenir.

Il te faut :
une image à reproduire (il vaut mieux commencer avec une image simple et aux couleurs claires)
une plaque de verre de 20 cm x 25 cm
   (8 pouces x 10 pouces) (le verre d'un vieux tableau fait l'affaire)
une feuille de papier blanc
un crayon
une lampe de bureau

1. Mets l'image et la feuille de papier blanc côte à côte sur une table.
2. Place la lampe à côté de l'image et oriente la lumière sur l'image. Tiens la plaque de verre à la verticale entre le papier vierge et l'image.
3. En étant du côté de l'image, regarde à travers la plaque de verre. Tu verras ton image sur la feuille de papier vierge. Tu devras peut-être bouger la tête pour obtenir le meilleur angle de vision.
4. Tiens fermement la plaque de verre et ne bouge plus la tête. Tu peux maintenant reproduire l'image sur le papier.

Tout s'explique
Comment se fait-il que tu peux voir une image là où, en fait, il n'y en a pas ? La lumière éclaire l'image qui la réfléchit. La plus grande partie de la lumière se déplace en lignes droites dans toutes les directions, mais une partie rebondit de la vitre à tes yeux.

Quand cette lumière réfléchie pénètre dans tes yeux, tu vois l'image comme si elle était sur le papier. C'est pour cela que lorsque tu bouges la tête, l'image peut être plus petite ou plus grande, ou disparaître complètement.

Ce que tu as fait est une version simplifiée de la *camera lucida,* appareil inventé en 1807. Des artistes et des scientifiques l'ont souvent utilisé pour agrandir ou réduire des dessins.

UNE ROUE EXTRAORDINAIRE

T u t'es déjà servi d'un tour à potier ou d'une machine à coudre à pédale ? Quand tu actionnes la pédale, tu fais tourner une roue qui est le « centre de contrôle de l'énergie » de la machine. Tu peux te confectionner facilement une roue et en contrôler l'énergie.

Il te faut :
un gros bouton
1 m (1 verge) de fil solide ou de ficelle de lin

1. Passe le fil à travers les trous du bouton (si c'est un bouton à quatre trous, passe le fil dans les trous en diagonale). Assure-toi que le fil n'est pas emmêlé. Attache les extrémités ensemble.
2. Glisse le bouton au milieu de la boucle que forme le fil. Prends un bout de la boucle dans chaque main et fais tournoyer le bouton environ 20 fois dans le même sens jusqu'à ce que le fil soit complètement entortillé.
3. Tire sur les deux extrémités et regarde ce que fait le bouton. Quand tu as tiré une fois sur les extrémités du fil, ne bouge plus les mains et observe le bouton.
4. Tire et relâche alternativement pour que le bouton continue à tourner dans un sens puis dans l'autre pendant un long moment.
5. Tout en faisant tournoyer le bouton, tire sur la ficelle tantôt plus fort, tantôt plus doucement. Observe la vitesse du bouton quand tu changes la force de tension.

Tout s'explique
En faisant tourner la ficelle, tu y emmagasines de l'énergie mécanique. Quand tu tires sur la ficelle, elle redevient droite et l'énergie est transférée au bouton qui se met ainsi à tourner. Plus le bouton est gros, plus il peut emmagasiner d'énergie, et plus longtemps il tournera. Tout en tournant, le bouton retransmet l'énergie emmagasinée au fil. Si tu laissais tes mains tranquilles, le bouton finirait par s'arrêter de tourner, car il y aurait perte d'énergie chaque fois qu'elle passerait du bouton au fil et vice-versa. Quand tu tires sur le fil, par contre, tu ajoutes davantage de ta propre énergie, et tant que tu tireras le bouton tournera.

On se sert de roues dans de nombreux cas pour avoir une quantité constante d'énergie, même quand le débit de l'énergie varie. Quand tu actionnes la pédale d'un tour de potier ou d'une machine à coudre à pédale, tu fais tourner une roue qui à son tour fait tourner le plateau à glaise ou fait bouger l'aiguille à coudre. Si tu diminues ton action sur la pédale pendant une minute, ou si tu l'augmentes beaucoup, la roue va absorber les différents débits d'énergie mais elle va continuer à tourner à un régime constant et la machine va marcher à une vitesse régulière.

DES BULLES SANS BAVURE

V oici trois expériences originales avec des bulles. Avant tout, tu dois préparer une bonne quantité de mélange à super-bulles.

Mélange à super-bulles
Mélange en les agitant doucement les ingrédients suivants :

6 verres d'eau

2 verres de détergent liquide à vaisselle *transparent* (c'est Joy^MD qui convient le mieux)

1 à 4 verres de glycérine (4 c'est l'idéal, mais étant donné le prix de la glycérine, tu préféreras peut-être en utiliser moins. Tu peux acheter de la glycérine dans n'importe quelle pharmacie).

Bulles monstres
On croirait qu'un monstre les a faites tellement elles sont grosses.

Il te faut :

un cintre en fil de fer fin

du mélange à super-bulles

1. Défais le cintre et donne-lui la forme d'un grand cercle.
2. Plonge le cintre dans le mélange à super-bulles et souffle. Avec un peu de pratique, tu vas bientôt faire des bulles énormes.

Tout s'explique
En mettant du savon dans l'eau, tu desserres la prise que les molécules d'eau ont l'une sur l'autre. L'eau devient « élastique » et tu peux faire de grosses bulles. La glycérine fait durer les bulles plus longtemps que d'habitude.

Des bulles qui n'éclatent pas
En général, les bulles éclatent dès que tu les piques, mais pas celles-ci.

Il te faut :

du mélange à super-bulles

un entonnoir

un bout de ficelle d'environ 20 cm (9 pouces) de long

un crayon bien taillé

1. Attache un bout de la ficelle autour du col de l'entonnoir, de façon que la ficelle pende au-dessous de l'entonnoir.
2. Fais une boucle avec le bout libre de la ficelle.
3. Plonge le côté évasé de l'entonnoir et la ficelle dans le mélange à super-bulles.
4. Retire-les et souffle dans le tube de l'entonnoir pour faire une grosse bulle. La ficelle va adhérer à la surface extérieure de la bulle.

5. Avec le crayon bien taillé, perce un trou dans la bulle à travers la boucle de la ficelle, et regarde ce qui arrive. D'abord, la boucle de la ficelle va former un cercle parfait. Ensuite, la bulle va se dégonfler lentement.

Tout s'explique

Pourquoi la bulle n'éclate-t-elle pas quand tu la piques ? La ficelle empêche qu'une longue déchirure ne se forme dans la pellicule savonneuse. La bulle ne peut se dégonfler qu'à la vitesse à laquelle l'air s'échappe par le petit trou à l'intérieur de la boucle de la ficelle.

Pellicule savonneuse

Une pellicule savonneuse, c'est une bulle sans air à l'intérieur. Comme tu vas bientôt le voir, cette pellicule de savon permet aussi de faire des expériences intéressantes.

Il te faut :
du mélange à super-bulles
un cintre en fil de fer fin

1. Défais le cintre et donne-lui la forme d'un rectangle.
2. Plonge ce cadre dans le mélange à super-bulles.

(Utilise un grand plat pour le mélange afin d'y plonger tout le cadre en une seule fois). Tiens la pellicule savonneuse encadrée à la lumière. Tu vas voir un arc-en-ciel. C'est parce que la lumière est réfléchie des deux côtés de la pellicule.

3. Maintenant, essuie le cadre et attache la ficelle comme illustré. Ne la tends pas trop raide, laisse-la plutôt pendre mollement.
4. Plonge le cadre avec la ficelle dans le mélange à super-bulles. Retire le tout et fais un trou au centre de la boucle. Quelle forme prend la boucle ?

Tout s'explique

Pourquoi la boucle forme-t-elle un cercle parfait ? Une pellicule savonneuse rétrécit toujours pour occuper le moins de surface possible. Pour que ta pellicule ait la plus petite surface possible, ta boucle doit être la plus grande possible. Le cercle est la forme qui permet à la boucle de couvrir la plus grande surface.

Maintenant que tu as résolu ce mystère, fais un trou à un autre endroit dans le cadre. Peux-tu voir les contours d'une partie d'un cercle ? Essaie de le crever, section par section, et observe la ficelle.

MILIEU DE TABLE SCIENTIFIQUE

Voici un milieu de table scientifique si inhabituel qu'il va sûrement devenir le centre de toutes les conversations.

Il te faut :

un grand bocal en verre ou un grand broc
un peu de vinaigre blanc
du bicarbonate de soude
de la teinture végétale
des boules de naphtaline (il y en a dans presque toutes les quincailleries)

1. Emplis le broc d'eau, puis verses-y très lentement trois cuillerées à café de vinaigre et deux cuillerées à café de bicarbonate de soude. Le liquide va commencer à pétiller. (Tu devras ajuster la quantité de vinaigre et de bicarbonate de soude à la taille de ton broc, en respectant bien les proportions : trois parts de vinaigre pour deux parts de bicarbonate de soude).

2. Ajoute deux gouttes de teinture végétale — il n'en faut pas trop — et quelques boules de naphtaline. Les boules de naphtaline vont couler au fond du broc au début, puis elles vont remonter. Quand elles auront atteint la surface du liquide, elles couleront à nouveau, et ainsi de suite. Tu auras largement le temps de manger.

Tout s'explique

Ton milieu de table inhabituel est le résultat d'une réaction chimique. Le vinaigre est un acide et le bicarbonate de soude est une base. En les combinant, tu provoques une réaction chimique qui produit des bulles de gaz carbonique.

Les bulles ont tendance à se rassembler sur des surfaces, comme tu l'as peut-être remarqué en mettant une paille dans une boisson non alcoolisée. Elles se rassemblent donc en grand nombre sur les boules de naphtaline. Comme une boule de naphtaline ce n'est pas bien lourd, les bulles ont tôt fait de la remonter à la surface. Quand elle arrive en haut, les bulles éclatent, la boule de naphtaline redescend et recueille de nouvelles bulles.

La teinture végétale, c'est juste pour faire joli ! Tu pourrais mettre des boules de naphtaline dans plusieurs récipients teintés de couleurs différentes pour faire un milieu de table plus grand.

Soit dit en passant, tu peux obtenir le même effet avec des arachides salées dans une boisson non alcoolisée !